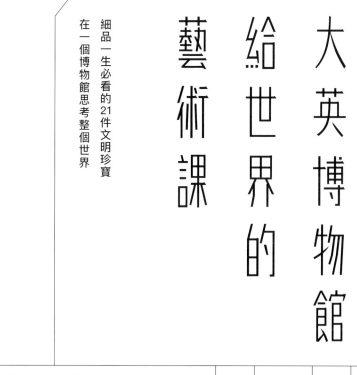

大英博物館
給世界的
藝術課

細品一生必看的21件文明珍寶
在一個博物館思考整個世界

The British Museum

程珺——著

U0019075

原點
UN-3OOKS

在一個博物館裡思考整個世界

　　大英博物館（The British Museum）是世界上歷史最悠久、規模最宏偉的綜合性博物館之一，也是大家公認的「一生一定要去的景點」。

　　大英博物館的藏品有800多萬件，覆蓋了人類200多萬年的歷史，但由於博物館的空間限制，其實98%的藏品都沒能公開展出，長期展出的藏品只有15萬件，所以博物館經常會輪流展出藏品。

　　大英博物館的藏品來源，一直處於輿論的風口浪尖，因為很大一部分都是英國在18到19世紀對外殖民和擴張中得來的。就說古埃及的文物收藏好了，大英博物館收藏的數量竟然高達10萬多件，這是其他博物館永遠無法企及的。

　　所以我總會想，是不是由於大英博物館裡的文物，都不是來自自己的國家，讓英國人比較有「羞愧感」，所以他們在博物館「責任」這方面，就做得非常到位。因為大英博物館最先確定了博物館的公共地位，並且規定：「館裡的每一件藏品都將永久保存並供後世使用，並保證所有學者和懷有好奇心的人們都能自由地進出。」這也就是為什麼大英博物館至今對所有人免費開放，放棄了「門票」這一筆非常可觀的收入。

　　另外，大英博物館的理念也很特別，它一直傳承著「在一個博物館裡思考整個世界」的傳統，試圖在全世界的文物中尋求連接性和統一性，從而建立不同文明之間的相互理解。這也就是為什麼大英博物館會舉辦「100件文物中的世界史」世界巡迴展覽，當時的館長尼爾・麥葛瑞格（Neil Macgregor，任期2002－2015）還特意配合，寫了一本叫《看得到的世界史》（A History of the World in 100 Objects）的書。

　　這是大英博物館和其他大型博物館（如羅浮宮或大都會博物館）最不一樣的地方，因為這個博物館的著眼點一直都放在「全球文明」上。我寫的這本《大英博物館給世界的藝術課》也是從這個視角出發，為此我特意精選了大英博物館裡

21件非常重要的藏品，它們幾乎覆蓋了全世界各個地區的文明，有像四大古文明之一的古埃及文明，也有像復活節島這樣已經永遠消失的部落文明。它們中的每一件所反映的都是不同時期的人類，他們的智慧、觀念與創造力的結晶。

我相信，當你讀懂了這本書裡介紹的21件藏品之後，下次再去大英博物館時，肯定不會蒙圈，並且也可以真正地做到「在一個博物館裡思考整個世界」。

最後，我簡單介紹一下我自己，我叫程珺，是法國里昂中央大學的博士。在過去的十幾年中，我一直在法國工作和學習，這給了我充分的時間，去逛各種博物館。

回想一下，光一個大英博物館，我也去了近三十次，我不敢說把裡面的藏品都看遍了，但對於這座頂級博物館，我還是非常熟悉的，閉上眼睛可以想像出展廳的面貌、展品的位置。

回國後，我開始在各個媒體平台分享人文藝術知識，也受邀去各大美術館舉辦相關講座，還出版了我的第一本書《羅浮宮給世界的藝術課》，受到很多朋友的喜愛。但很少有人知道，我的專業其實是半導體研究——所以你可以相信，一個被人文藝術浸潤過的理工科大腦，一定能幫你找到最高效的方式，去讀懂大英博物館的價值所在。

以前每次去「大英」，常看見不少遊客只是在熱門展品前匆匆打個卡就走了，我都覺得太過可惜，因為他們錯過了和世界不同地區的文明深度對話的機會。因此我決定寫下這本書，分享那些年裡「大英」帶給我的震撼和感悟。在疫情不便遠足的當下，希望這本書能帶你探尋古老文明的璀璨，感受不同文明之間的強盛與融合，瞭解那些稀世之寶背後的傳奇故事。

如果這本小小的書籍還能引發你的思考，讓你想要對世界探索得更多，那對本人來說，真的是無上的榮幸。

大英博物館是全世界第一個公共的國家博物館，它的長期展品有15萬件，館藏可是有800多萬件，是全球涉及範圍最廣以及館藏數量最多的博物館之一。在大英博物館裡，既有13000多年前的史前文物，也有19世紀的近現代作品，可以說是覆蓋了整個人類文明至今為止的藝術發展史。

大英博物館的建立其實非常特別，因為它是以民間人士的收藏為基礎而成立的博物館，並不像法國羅浮宮或者俄羅斯冬宮，都是以王室收藏為基礎而建立的。

大英博物館的成立可以追溯到17至18世紀的歐洲啟蒙運動，當時英國的知識分子對整個世界都充滿了好奇心，所以民間收藏就特別流行。其中最狂熱的一位，大概就是科學家漢斯・斯隆爵士了，他一生的收藏超過7萬1千件，而且藏品真的是五花八門，什麼類型的物品都有，有自然動植物標本，也有古希臘、古羅馬、古埃及甚至是中遠東的古文物。

♛ 漢斯・斯隆爵士
（Sir Hans Sloane, 1660-1753）

漢斯・斯隆爵士在去世前做了一個重大的決定，要將他所有的收藏都捐給國家。英國政府為了妥善地安排這批文物，便在1753年建立了大英博物館，用來存放漢斯・斯隆爵士的所有收藏品。

其實大英博物館初創時期，國家提供的財政支持少得可憐，博物館也沒什麼能力去

擴張。但到了19世紀，尤其是「滑鐵盧戰役」後的那100年裡，由於沒有人再敢以武力挑釁大英帝國，英國進入了「和平時代」。國家終於有點錢了，於是就開始大規模地收購各類文物，像本書裡所提到的巴特農神殿浮雕和路易斯西洋棋就都是在那個時期被收購的。

接下來就到了維多利亞女王統治的時代了。那個時候，大英帝國瘋狂地向外擴張，進行殖民，而大英博物館的館藏也因此瘋狂增長，因為大部分的文物都是從世界各地搶來和盜來的，比如本書裡提到的復活節島雕像、馬雅宮廷放血儀式浮雕、《女史箴圖》等，這些文物都是英國對外殖民過程中搶掠的最好證據。這也就是為什麼，直到現在依然有那麼多國家在向大英博物館申討，希望他們能歸還屬於自己國家的文物。

1914年，第一次世界大戰爆發，這對英國來說是一個巨大的轉折點，它表面雖然贏了，但國力開始衰退，世界霸權國的地位也逐漸被美國所取代。那時候的大英博物館就開始不那麼「野蠻」，停下了「搶奪」的步伐，慢慢地轉型成一座綜合博物館，致力於呈現全球人類的歷史、藝術和文化。

直到現在，大英博物館依然在考古、收購藏品等各個相關領域非常活躍，並且是在法律框架內進行，像這本書裡提到的舞王濕婆雕像和《神奈川沖浪裏》，就都是合法購買的。所以對於大英博物館，個人覺得還是要辯證地去看待它。它的確有過非常野蠻的一段歷史，但這並不代表著這個博物館裡的每一件文物都是搶來的。

另外，大英博物館裡的每一件文物，不管它是來自哪個國家和地區，博物館都會努力進行修復和保護。比如本書裡所提到的《獵獅圖》，它如果依然留在伊拉克的話，也可能早就被毀了。

如果有一天你去參觀大英博物館，而時間只有一天，那我建議你還是先看一下我在書裡提到的這21件藏品，在這裡我再提供一條遊覽路線作為參考：

主層

大廳樓： 羅塞塔石碑（4號展間）─拉美西斯二世雕像（4號展間）─獵獅圖（10a號展間）─巴特農浮雕（18號展間）─摩索拉斯陵墓（21號展間）─智利復活節島雕像（24號展間）─馬雅宮廷放血儀式浮雕（27號展間）

Level 0

1樓： 舞王濕婆（33號展間）─犍陀羅佛陀坐像（33號展間）

Level 1

2樓： 大衛對瓶（95號展間）

Level 2

Ground floor
主層

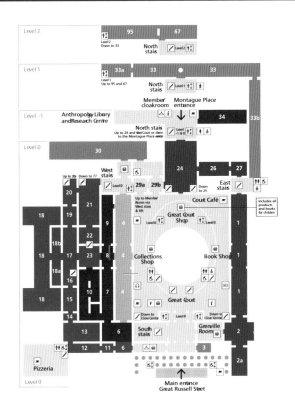

非洲　　　　　　美洲　　　　　　古埃及　　　　古希臘和古羅馬

3 樓：路易斯西洋棋（40號展間）—薩頓胡頭盔（41號展間）—奧克瑟斯雙輪戰車模型（52號展間）—大洪水泥板（55號展間）—烏爾軍旗（56號展間）—內巴蒙墓室壁畫（61號展間）—奧古斯都頭像（70號展間）

Level 3

*4件非長期展出藏品不在此遊覽路線內

需要特別說明的是，大英博物館按照樓層高度區分，分為主層（Ground floor，包括Level 0-2）、上層（Upper floor，包括Level3-5）和下層（Lower floor，包括Level-1、-2）三部分。大英博物館的展品經常會換地方，所以本書中提及的展品位置僅供參考。

Upper floor
上層

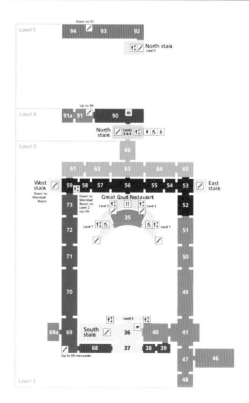

亞洲　　　　　　歐洲　　　　　　中東地區　　　　　　主題館

第
一
單
元

鎮館之寶

01

02

03

04

05

06

07

從這一章節開始，我會用七件重要的藏品，幫你對大英博物館做一個快速的掃描。其中有「鎮館三寶」：《巴特農神殿浮雕》、《羅塞塔石碑》和《女史箴圖》，另外的那四件，分別是來自兩河流域的《獵獅圖》和《烏爾軍旗》，還有來自古埃及的《內巴蒙墓室壁畫》，以及大英博物館所珍藏最古老的藝術品《游泳的馴鹿》雕塑。

我選這七件藏品，首先是因為它們都有很強的代表性。「鎮館三寶」就不用多說了，是它們塑造了大英博物館今天的地位。而《獵獅圖》、《烏爾軍旗》和《內巴蒙墓室壁畫》則屬於大英博物館的埃及和兩河文明館藏，也是近代考古的重要成果， 它們在很大的程度上徹底改變了人類對自己歷史的認知。

另外，這七件藏品的背後也都有著很傳奇的故事，大英博物館在裡面也扮演了很重要的角色，當然有時是好角色，有時卻是壞角色。但不管怎麼説，這七件藏品的命運和大英博物館一直緊密聯繫在一起。

巴特農神殿浮雕

古希臘的雕塑為什麼好看？

Parthenon Marbles

巴特農神殿浮雕

約西元前 433 年

主層大廳樓 18 號展間

♔ 雅典巴特農神殿 （Parthenon, Athens）
♙ 約西元前447年

最受爭議的希臘文物

　　每次我去雅典的衛城博物館參觀時，工作人員都會請我填一張表，詢問我是否支持希臘向英國討回巴特農神殿上的浮雕，我都會填「支持」，但心裡卻很明白，英國是不太可能會歸還的，因為沒了巴特農神殿浮雕的大英博物館，就好像是沒有了《蒙娜麗莎》的羅浮宮，流量最起碼會減少一半，畢竟這批文物實在是太過珍貴和罕見了。

　　位於雅典衛城最高處山岡上的巴特農神殿，經過2500多年的歲月洗禮，儼然已經成了古希臘文明的象徵。1801年，英國的埃爾金伯爵用非常野蠻的方式強拆下巴特農神殿上近一半的浮雕，並且運回了英國。埃爾金所帶回國的這些浮雕，都是神殿上最為漂亮和完整的。1817 年，大英博物館將這批浮雕完整地購買下來，從此它們就成了大英博物館最重要的鎮館之寶。

♛ 埃爾金伯爵 Thomas Bruce, 7th Earl of Elgin,1766–1841

其實很難去評價埃爾金伯爵，因為如果他沒有搶走這些浮雕，當時統治希臘的土耳其人是極有可能會把它們拆了拿去做建築石灰用，這批文物是會被完全毀掉的。

古希臘雕塑太過珍稀

要瞭解巴特農神殿浮雕，有一個概念得先弄清楚：那就是從古希臘時期留存下來的雕塑，真的是少之又少，你在博物館裡看到的大部分古希臘雕塑，都是古羅馬時期的仿製品（古羅馬人是希臘的「死忠粉」）。即便是鼎鼎有名的雕塑《斷臂維納斯》，它都算不上是古希臘時期的作品，而是「希臘化時期」的。

《巴特農神殿浮雕》古希臘的雕塑為什麼好看？

♛ 大英博物館中陳列的巴特農神殿浮雕（Parthenon Marbles/Elgin Marbles）
👤 約西元前433年
🐎 主層大廳樓 18 號展間 （Ground floor, Level 0, Room 18）

　　古希臘人一般都用青銅來做雕塑，一旦有戰爭發生，青銅就會被拿去熔化了做武器用，這也是為什麼現存於世的古希臘雕塑會那麼少的原因。而巴特農神殿上的浮雕，它們可是百分之百古希臘時期的原作，而且還都是由古希臘最著名的雕塑家菲狄亞斯（Phidias）主持完成，所以它們一直被譽為西方美學的巔峰。

　　大英博物館目前收藏的巴特農神殿浮雕，主要是從巴特農神殿的三個地方拆下來的：山牆三角楣的群雕、15塊隴間板浮雕，以及100多公尺長的中楣浮雕。

中楣
Frieze

隴間板
Metopes

三角楣
Pediment

♛ 南隴間板 27 號：拉庇泰人和半人馬之戰（Lapith fighting a Centaur）
🏺 兩個人物朝著相反的方向運動，腿和身體都充滿了張力，衣袍墜落的垂墜
　感堪稱完美。

　　　　　　　　　　　　　　　　《巴特農神殿浮雕》古希臘的雕塑為什麼好看？

♛ 命運三女神浮雕，從左至右依次為：克洛托（Clotho）、拉克西斯（Lachesis）、阿特羅波斯（Atropos）

古希臘雕塑的正確打開方式

在大英博物館所有的巴特農神殿浮雕中，神殿東山牆上的命運三女神浮雕一直被公認為最傑出的作品。很多人都搞不太懂，這三位沒頭沒手臂的女神，到底好看在哪裡呢？

首先，命運三女神浮雕其實完美展現了古希臘藝術精髓，那就是德國學者溫克爾曼（Winckelmann）所說的：「高貴的單純和靜穆的偉大」。這組浮雕給人的感覺非常簡潔，但如果你仔細去看細節， 又會發現作者其實很用心：女神們不同的坐姿和橫躺的姿勢，顯然都經過巧妙設計，為的就是能符合山牆三角形的斜坡坡度。另外，三位女神都非常肅穆端莊，她們所穿的衣服一點也不飄， 很有垂墜感，但也不顯僵硬，因為人物的動作都很自然優雅。

講到這裡，這組浮雕能用肉眼所看出來的美就不太多了，但之所以能夠被稱

👑 巴特農神殿東山牆左、右兩側群雕

為西方古典美學的最高成就，背後自然還隱藏著很多祕密。這組浮雕，所有人去看它，都會感覺非常自然與和諧， 這可不是憑空產生的，在背後支撐著它們的是精心計算過的比例和尺度，而這也反映了古希臘人一個很大的特質，那就是「理性」。

　　古希臘人認為人類是理性的，也就是英語中的「reason」，這種理性的文明特徵，讓古希臘人深信：宇宙並不是建立在神的意志之上，而是建立在規則和秩序上。自然萬物都可以找到潛在的和諧比例，而「美」就存在於和諧的數字比例之中。比如巴特農神殿，整個建築中就反覆出現了「 x:（2x+1）」這個比例關係。比方說立柱的數量，外圍正面是8根，側面是17根，8×2+1=17，正好符合這個比例關係。命運三女神浮雕也是一樣，三個人物之間的排列，每個人的身體結構，背後也都是複雜的數字關係和幾何規律，所以這件作品才能讓你感覺到一種和諧之美。

《巴特農神殿浮雕》古希臘的雕塑為什麼好看？

👑 巴特農神殿東山牆左側群雕

理性精算出的比例和尺度

　　古希臘的這種理性特質，其實很不可思議。因為那可是2500年前，世界上大部分的國家都還是極度迷信神的力量的時代，為什麼古希臘可以做到將「人的理性」抬得那麼高呢？

　　這主要是因為希臘大多都是島嶼，島上又都以丘陵為主，不適合種田，所以古希臘人主要靠貿易為生。這就注定了希臘文明和其他農耕文明是不一樣的，因為他們不需要向神明祈禱讓莊稼豐收或者河流不要泛濫。另外，希臘的自然災害較少，外來侵略者的侵擾也不頻繁，所有這些都讓古希臘人對神明的需求沒有那麼強烈，人類理性的力量也就自然而然地凸顯出來。除此之外，古希臘的理性文明也離不開它的鄰居古埃及文明和兩河文明，它從這兩種古代文明中吸收了太多精華，比方說兩河的數學和天文學，以及埃及的解剖學和建築學。

　　命運三女神浮雕的美，不僅僅是理性的公式計算那麼簡單，它還有更複雜而

女神的身體，有放鬆、有緊張，對比到位

微妙的地方：比如這三位女神的身體，有的放鬆，有的卻很緊張，對比很到位。另外，這三人雖然是獨立的個體，但相互之間卻都是有呼應的：最右邊女神的身體在努力往旁邊兩位靠，每位女神的頭部和身體也都有微妙的反轉向，這些看似隨意的細節，其實都是雕塑家精心設計的結果。這一部分還真的屬靈，很難總結出什麼規律來，它是真的需要一個文明發達到一定程度才能催化出來的，這或許就是古希臘雕塑無法被超越的地方。

　　巴特農神殿浮雕創作的時期，是古希臘最輝煌的古典時期（西元前480–323 年），前後不過 150 多年。那是希臘以少敵多，兩次大勝波斯帝國的時期，也是無敵的政治家伯里克利（Pericles）曾統治過的時期。這150多年，古希臘文明堪稱西方歷史上一顆最閃耀的流星，現代西方的政治、哲學、美學等，幾乎一切的一切，都起源於此。柏拉圖、亞里斯多德、修昔底德這些聖人都處於那個年代，所以，後人對於古希臘文明，除了仰望，還是仰望，也只有這樣的輝煌文明，才能催生出如此美麗的雕塑。

　　　　　　　　　　　　《巴特農神殿浮雕》古希臘的雕塑為什麼好看？

♛ 巴特農神殿中楣浮雕
♟ 描繪的是雅典每四年舉行一次的「泛雅典娜節」（Panathenaea）遊行隊伍

程老師敲黑板

　　大英博物館的鎮館之寶巴特農神殿浮雕，是英國的埃爾金伯爵在 1801 年強行從雅典的巴特農神殿上拆下來的，直到現在希臘政府也一直都在追討這批文物。

　　巴特農神殿浮雕被譽為西方美學的巔峰，因為它們是極其罕見的留存至今的古希臘雕塑，還是由古希臘最著名的雕塑家菲狄亞斯操刀完成的。這批浮雕完美展現了古希臘藝術的精髓，那就是「高貴的單純和靜穆的偉大」。

　　巴特農神殿浮雕之所以那麼美，是因為它們的比例和尺度都經過精心計算，這反映了古希臘人理性的特質。另外，這批雕塑還有更複雜和精妙的地方，這一部分就完全屬靈，無法被後人總結和超越，它是被古希臘輝煌的古典文明所催生出來的。

02

羅塞塔石碑

古埃及象形文字是如何破譯的？

Rosetta Stone

羅塞塔石碑

西元前196年

主層大廳樓4號展間

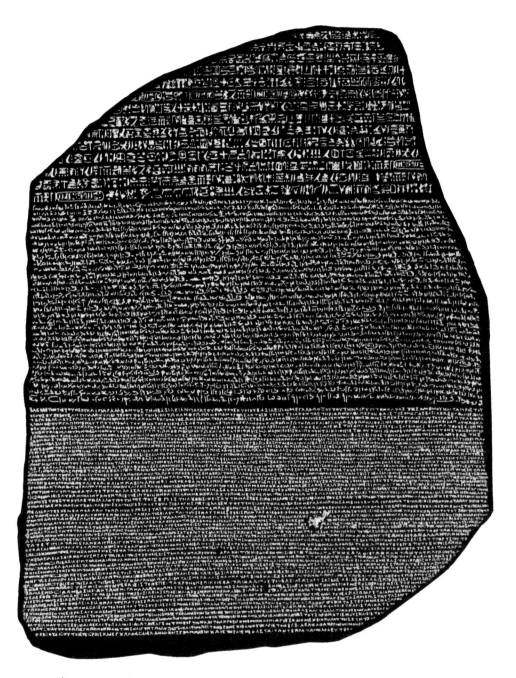

♛ 羅塞塔石碑（Rosetta Stone）
♟ 西元前196年，花崗閃長岩，最高112.3公分，寬75.7公分
♞ 主層大廳樓4號展間（Ground floor, Level 0, Room 4）

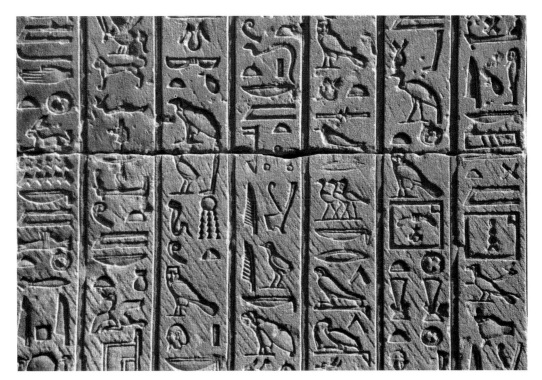

♕ 古埃及象形文字
♙ 西元前3100年

大英博物館的鎮館之寶

　　在大英博物館，參觀人數最多的地方永遠是在羅塞塔石碑這裡。這塊花崗岩石頭是當之無愧的鎮館之寶，而它之所以如此重要，是因為如果沒有這塊石碑，現在的我們絕不可能讀懂古埃及文明。

　　埃及雖然是四大文明古國之一，但它的文明並沒有延續下來，早在2500多年前，古埃及所有的本土王朝就滅亡了，它的文明也慢慢被人們遺忘，埃及最終變成了一個阿拉伯國家。我們今天對古埃及的瞭解，都是18世紀以後考古的結果，但當時的考古學者，對古埃及文明一籌莫展，因為那些挖掘出來的文物，上面所寫的複雜象形文字，沒人能看得懂。

埃及的象形文字是目前為止人類發現的最古老文字之一，中國最早的甲骨文，大概還要比它晚900年，一直到商代才出現。但隨著古埃及的消亡，象形文字也一起消失了。到了18世紀，別説象形文字，和它有關聯的語系一個都找不到了，要破解它根本就是不可能的事情。

最終是羅塞塔石碑的出現，打破了這個僵局，法國的語言學天才商博良就是根據這塊石碑上的碑文，成功破解了象形文字。這完全改變了當時人們對世界的認知，因為人類有文字記載的歷史，被足足往前推進了2000多年！這也讓我們最終得以窺見法老的世界，明白了他們為什麼要造金字塔和做木乃伊。

商博良破譯古埃及象形文字

西元前180年，埃及法老托勒密五世（Ptolemy V）登基，就是他派人刻了這塊羅塞塔石碑，碑文上的內容講的是他即將頒布的一系列新政。其實石碑上刻什麼內容並不重要，重要的是這段內容用了三種不同的文字。

♛ 羅塞塔石碑上的三種文字：聖書體、通俗體、希臘文

　　第一種文字就是古埃及的象形文字，也叫「聖書體」，大家平時在博物館裡看見的古埃及文字基本上都屬於這一種。聖書體有一個缺點，就是非常難寫，所以古埃及還有一種簡化版的文字，被稱為「通俗體」，就是羅塞塔石碑上的第二種文字。聖書體和通俗體的區別相當於漢字裡的繁體字與簡體字。至於石碑上的第三種文字，就是希臘文，因為托勒密王朝來自古希臘，所以在他們的統治時期，希臘語是通行無阻的。

　　羅塞塔石碑在1799年被挖掘出來，它的出現讓當時完全看不懂古埃及文的歐洲人大為興奮，因為石碑上的第三種文字是希臘文，這種文字大家還是能看懂，那麼要破解這段由希臘文對照的古埃及文應該也不難吧。但事實上並非如此，即便是商博良也用了近20年才破解了這段碑文，因為古埃及的象形文字真的是一種很奇特的文字。

　　　　　　　　《羅塞塔石碑》：古埃及象形文字是如何破譯的？

既表意也表音的埃及文字

　　人類的文字系統一般分為兩種：一種是表意的，就像中文，一個文字表達一個意思。另外一種就是表音的，像英文，一個字母表達一個發音，好幾個字母拼在一起組成一個單詞才能表達意思。那麼問題來了，古埃及的象形文字，它是表音的，還是表意的？我想只要是個正常人，都會以為那是表意的，不信你去看看象形文字裡的那些圖案：太陽、鳥、蛇等什麼都有，這文字肯定和中文走的是同一路線嘛！

　　商博良最初也是這麼想，但在無數次嘗試之後，他發現這是條死路，完全走不通。於是他非常大膽地猜測：象形文字這種文字很奇葩，它不但表意，或許還表音。比如「手」這個圖案符號 ⌒，它代表的並不是手，而是「D」這個發音。

　　在一系列複雜且漫長的論證之後，商博良終於證實了自己這個想法，1822年他終於將古埃及象形文字完全破譯，世人終於能和法老隔空對話了！

　　在破譯古埃及象形文字後，商博良還親自帶隊跑去埃及考察，他在那裡待了一年，留下了很多珍貴的史料。當時的埃及早已是阿拉伯人的地盤，而他們並不十分在意古埃及文化，甚至還會破壞古文物。商博良苦苦勸說埃及總督，告訴他這些古代文物價值無窮，即便只是發展旅遊業，也會為這個國家帶來巨額的財富。但即便如此，很多古埃及建築還是沒保住，商博良留下的記錄，也就成了這世界上唯一的相關史料。由於他在埃及那一年的生活異常艱苦，回到法國後沒多久就去世了，年僅42歲。

　　後來，埃及政府為了感謝商博良對古埃及文化所做的貢獻，特意贈送了一座方尖碑給法國，到現在它依然矗立在巴黎的協和廣場上。

♟ 巴黎協和廣場（Place de la Concorde, Paris）上的方尖碑

　　　　　　　　　　　　　　　　　　《羅塞塔石碑》：古埃及象形文字是如何破譯的？

拿破崙遠征埃及，奠定現代埃及學基礎

羅塞塔石碑現在是大英博物館的鎮館之寶之一，但你大概不知道，這塊石碑原本應該屬於羅浮宮，因為它是拿破崙1798年遠征埃及時，在尼羅河三角洲的奎貝堡（Fort of Qaitbey）被挖掘出來的。只不過後來英國人追拿破崙追到了埃及，佔領整個亞歷山大港，羅塞塔石碑就被英國人搶走了。

在拿破崙遠征埃及之前，歐洲人對古埃及一無所知，在當時人的認知裡，古希臘才是最早和最輝煌的古文明。但每天能快速閱讀20本書的拿破崙自然和別人不同，他意識到埃及絕不是人們所想的那麼簡單，在那裡或許有著沉睡千年的輝煌文明，所以他去遠征時，不僅帶了2萬名士兵，還帶了167名學者。

那些學者都是當時法國科學界、藝術界和工程領域的菁英，其中最有名的，大概就是讓無數理工科學生聞風喪膽的，「傅立葉級數」的發明者傅立葉（Fourier）先生了。那些學者非常出色地完成了任務，他們不僅僅發現了羅塞塔石碑，還蒐集了第一手的古埃及歷史文物資料，奠定了整個現代埃及學的基礎。

拿破崙遠征埃及，從軍事角度來看，他並沒有切斷英國和印度之間的通道，而且敗得相當慘。但從文化的角度去看，這可以說是拿破崙一生最大的成就，因為是他將古埃及再一次帶回到世人眼前，讓整個歐洲興起了埃及考古熱。是拿破崙讓當時的歐洲人明白：在古希臘文明誕生的幾千年前，輝煌的古埃及文明就已經存在了，人類文明的邊界也因此被大大推前。

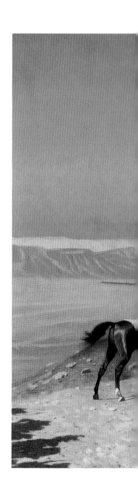

♕ 《獅身人面像前的拿破崙》（Bonaparte Before the Sphinx）
♛ 尚－李奧・傑洛姆（Jean-Léon Gérôme）
♟ 作於1886年

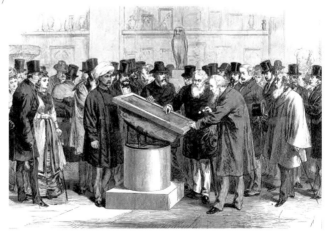

♜ 眾專家們在倫敦舉行的第一次國際東方
　學代表大會上考察羅塞塔石碑
♟ 作於1874年

　　　　　　　　　　　　　　　　　　　《羅塞塔石碑》：古埃及象形文字是如何破譯的？

♟ 羅塞塔石碑吸引著來自全球各地的遊客

相隔兩千年的交流印記

　　羅塞塔石碑是冰冷的，它只不過是一塊石頭而已，但最動人的是那些隱藏在背後的人類的智慧和勇氣。所以我每次在大英博物館看見羅塞塔石碑，都會想到拿破崙和商博良，這兩位對現代埃及學起著決定性作用的男人。

　　2000多年前的法老刻了這塊石碑，為的是彰顯自己的王權，他未曾想到，2000年後會有這樣兩個男人，一個會去征討他的國家，另一個會去研究他們的文字，而這一切都透過羅塞塔石碑連在一起。所以這塊石碑是相隔2000多年的人類彼此交流的印記，或許，這才是它最珍貴的地方。

程老師敲黑板

- - - - - - - - -

羅塞塔石碑之所以能成為大英博物館的鎮館之寶之一，是因為它上面所刻的碑文是多文字對照的，其中有古埃及的象形文字，也有希臘文字。法國的語言學天才商博良就是根據這條線索，破解了在當時已經消失千年的古埃及文字。

即便有羅塞塔石碑，商博良也用了近20年才破解古埃及的象形文字，因為這種文字非常特別，雖然看上去都是圖案符號，很像表意文字，但它同時還兼具表音功能，這一點讓當時所有的歐洲語言學家跌破眼鏡。

埃及雖然是四大文明古國之一，但它的文明並沒有延續下來，現在的埃及其實是一個阿拉伯國家。1798年拿破崙遠征埃及的行動，在某種意義上讓消失了近2000年的古埃及文明重新回到人們的視野。拿破崙去埃及時還帶了167位學者，他們在那裡收集了第一手的古埃及資料，奠定了現代埃及學的基礎，也是他們最先發現了羅塞塔石碑。

03

《女史箴圖》

堂堂大英博物館，為什麼會犯下世界級錯誤？

The Admonitions Scroll

《女史箴圖》

西元6-8世紀

非長期展出藏品

此之由 遷致盈必損理存固然美者自美翻以取尤冶容求好君子所仇結恩而絕寵

👑 《女史箴圖》（The Admonitions Scroll）畫卷場景10

🏛 西元6-8世紀，隋唐坊本，絹本設色，長25公分，寬348公分

🐴 非長期展出藏品

八國聯軍入侵下的受難國寶

　　《女史箴圖》被譽為中國繪畫的開卷之作，也就是中國畫的老祖宗，但很不幸的是，這件國寶至今依然流落在大英博物館。1899年，八國聯軍入侵中國，英軍上尉詹森（Clarence A. K. Johnson）將這幅《女史箴圖》盜搶去了英國（他還一直狡辯說是中國的某位貴族贈送給他的）。更離譜的是，這個上尉絲毫不懂這幅畫的價值，他甚至認為這幅畫最值錢的地方是畫卷上面綁著的玉配件，結果大英博物館因此撿了個便宜，僅僅用25英鎊就將這件至寶收入囊中。

🏛 《女史箴圖》上乾隆的題跋「彤管芳」，寓意著這幅畫會流芳百世。

　　前面所說的僅僅是《女史箴圖》受難的開始，更可怕的還在後面。由於當時的英國對中國繪畫一竅不通，他們盲目選擇了日本屏風畫的修復手法，將《女史箴圖》硬生生地切割成了好幾塊，還裝裱在木板上。要知道《女史箴圖》可是絹本畫，那就是類似於蠶絲的底子，把它硬裱在木板上，必然會隨著木板開裂而掉粉。果不其然，等大英博物館發現問題變得嚴重的時候，這件國寶已經被虐得不成樣子了，最後是中國專家過去才阻止它繼續惡化，但那些已經造成的破壞，永遠都無法挽回了。

大英博物館為什麼會犯這些錯？

　　中西方的繪畫理念是完全不同的。西方人覺得，畫就應該是一幅幅獨立裝裱，他們無法理解中國的卷軸畫，那種將畫卷慢慢打開，隨後畫面像時間一樣慢慢展現的樂趣。另外，西方人認為藝術品是神聖不可侵犯的，他們想不通為什麼中國的繪畫，收藏者和鑑賞家都敢在原畫上蓋章甚至題字，他們不覺得這是一種傳承的美，反而覺得那些蓋章題字的部分並不屬於原作，就是要和原作割離的。

　　另外，20世紀之前，由於中國長期的鎖國政策，西方人沒什麼渠道瞭解中國繪畫，西方博物館最早的中國書畫都是從日本流傳過去的，會帶有日本人的主觀意識，所以大英博物館才會選用日本屏風畫的修復手法去處理《女史箴圖》。

打開《女史箴圖》的正確方式

　　《女史箴圖》是現存已知、中國最早的敘事題材絹本畫。它曾是各朝帝王的珍愛之物，他們在上面留下了大量的印章，最誇張的是乾隆，足足敲了37個章，還親手畫了一朵蘭花。

　　《女史箴圖》的原作者是東晉畫家顧愷之（345-406），他被後人譽為「中國畫祖」，因為在顧愷之的年代，畫家都被視為工匠，沒一個人會在作品上留下自己的名字。顧愷之是第一個敢在自己作品留下大名的人，於是他就成了我們所知道的中國第一位畫家。很可惜的是，顧愷之所畫的《女史箴圖》早已消失，只有幾幅臨摹留存下來。目前流落在大英博物館的這一幅是隋唐的臨摹版，也是公認最接近顧愷之畫風的版本，所以它才會被歷代文人推崇，並受到皇室的青睞。

♛ 《女史箴圖》畫卷場景4：馮媛擋熊

　　《女史箴圖》應該算是一幅「文學插畫」，因為它所畫的內容，其實來源於西晉大臣張華寫的一篇詩文《女史箴》（「箴」是勸誡的意思，「女史」則是指後宮的嬪妃和女官），裡面詳細記載了歷代賢明后妃的光榮事蹟，為的就是告誡宮廷女子該如何尊崇婦德。顧愷之覺得《女史箴》這個「IP」很大，值得蹭一波「流量」，便選了詩文裡的12個場景將它們畫了出來。瞭解這幅畫的內容之後，你應該就能猜到《女史箴圖》其實是一幅說教意味很濃的畫作，但這其實很正常，不要忘了那可是1500多年前，繪畫在當時可不是藝術，它是一種工具，它的功能就是「成人倫，助教化」，至於好不好看，那都是次要的。

　　我們來看一下《女史箴圖》第四個場景「馮媛擋熊」，它描繪的是漢元帝在宮中觀看鬥獸，忽然一隻黑熊跑出圍欄，大家都非常害怕，唯獨他的寵妃馮媛（因其妃位稱號「婕妤」，故史稱「馮婕妤」）勇敢地走向前去為漢元帝擋住了熊。這就是明顯的教化，它在教導所有嬪妃，不管遇到什麼危險情況，都應奮不顧身地捨命護君。

《女史箴圖》：堂堂大英博物館，為什麼會犯下世界級錯誤？

♛ 《女史箴圖》畫卷場景4：馮媛擋熊局部

　　但顧愷之最厲害的地方，就在於他的思想衝破了那個時代的侷限。他當然明白自己的畫作只是一幅功能性作品，是用來教育人的，沒有人會在意畫得好不好看，但他依然用一個畫家的心態，將這幅畫當成一件藝術品，將它畫出了極致的美感。

　　還是來看「馮媛擋熊」，小個子的馮媛站在黑熊前，神情是那麼堅定，而在她身後的漢元帝顯然受到了極大的驚嚇，他的兩撮鬍子都被嚇得飛了起來。漢元帝身邊還有一位準備跑路的宮女，急得連屁股都撅了起來。顧愷之將一切人物都畫得那麼傳神，難怪後來的《世說新語》會這樣評價他：「顧長康畫，有蒼生來所無（顧愷之的畫，是自人類誕生以來都不曾看見過的）。」

♛ 《女史箴圖》畫卷場景7局部：人物妝容

♛ 《女史箴圖》畫卷場景12局部：人物服飾

關鍵技法：高古遊絲描

　　《女史箴圖》是中國繪畫的開卷之作，因為它奠定了整個中國繪畫的基調，那就是重線條，不像西方更重色彩和體積。

　　顧愷之在這幅畫裡運用了他獨創的「春蠶吐絲描」，也叫「高古遊絲描」，主要是指他畫的線條，都細得和蠶絲一樣。顧愷之會極其耐心地用這種超細的線條去勾勒人物的面容神態，讓每個人的眼神和表情都充滿了神韻。就如同右上「畫卷場景12」裡的這兩位宮女，她們髮髻上的紅色頭飾、垂下來的細髮、飄動的衣帶，都是顧愷之用高古遊絲描勾勒出來的，從而營造出了一種非常輕薄、飄逸的質感，讓人回味無窮。我們經常說的「以形寫神」，其實就是從顧愷之開始的。他的高古遊絲描對中國繪畫的影響巨大，因為一直到了明清甚至是當代，這種畫法都在被不斷地學習和發展。

《女史箴圖》中的重要場景

場景5：班婕妤拒輦

漢成帝遊玩時，邀請班婕妤坐同一輛轎子，但班婕妤拒絕了，她說：「聖賢之君的身邊都是名臣良將相伴，而夏商周那三代亡國之君身邊陪伴的則全都是妃子。現在陛下若是與我同乘車，不就和那些亡國君主一樣了嗎？」（觀古圖畫，賢聖之君皆有名臣在側，三代末主乃有嬖妾。今欲同輦，得無近似之乎！）

● 箴文：「班婕有辭，割歡同輦。夫豈不懷？防微慮遠。」（班婕妤進諫，寧可捨棄自己的歡樂，也不與漢成帝同車。她難道不想同車嗎？她是防微杜漸，深謀遠慮。）

場景7：修容飾性

妃嬪們化妝的場景，想表達的寓意是：再美好的妝容，也不如賢慧的德行。

● 箴文：「人咸知修其容，莫知飾其性。性之不飾，或愆禮正。斧之藻之，克念作聖。」（人們都知道要修飾容貌，卻不注重修養品性。品性若不修養，就很容易失態，所以必須要常常磨練自己，人格品性才會完善。）

場景8：出其言善

描繪的是夫妻倆坐在床上聊天的場景。

- 箴文：「出其言善，千里應之，苟違斯義，同衾（ㄑㄧㄣ）以疑。」（只要是好話，千里之外的人都會響應，但如果是壞話，即便是夫妻也會相互猜疑。）

場景9：家庭

描繪的是一家和樂融融的場景。

- 箴文：「夫言如微，榮辱由茲。勿謂玄漠，靈鑒無象。勿謂幽昧，神聽無響。無矜爾榮，天道惡盈。無恃爾貴，隆隆者墜。鑒於小星，戒彼攸遂。比心螽（ㄓㄨㄥ）斯，則繁爾類。」（希望妻妾之間不要互相嫉妒，和諧相處。要參鑒《詩經·小星》中的句子，克制自己的私心，還要用心去讀《詩經·螽斯》，好好地多生子女，繁榮後代。）

場景10：歡寵有度

一位嬪妃正奔向皇帝，
但皇帝做了拒絕手勢，
嬪妃只能止步。

• 箴文：「歡不可以瀆，
寵不可以專。專實生慢，
愛則極遷。致盈必損，理
有固然。美者自美，翻以
取尤。治容求好，君子所
仇。結恩而絕，實此之
由。」（即便再喜歡，也
不能輕瀆；即便再寵愛，也不能專恃。因為專寵會生出輕慢，愛過頭就會變化，滿盈就會
虧損，萬事萬物的道理就是這樣的。美貌的人自以為很漂亮，行為也變得輕薄，結果咎由
自取。刻意打扮自己來尋求寵幸，是君子所憎惡的。兩人之間有著恩義卻忽然斷絕，大多
是因為這個原因引起的。）

場景12：女史司箴，敢告庶姬

女史官記下這些箴言，並告知所有的姬妾。

程老師敲黑板

🔍 　　《女史箴圖》是中國繪畫的開卷之作，卻不幸流落到大英博物館，大英更是用了錯誤的日本屏風畫修復方式對它進行處理，將一幅完整的卷軸畫硬生生地分割成了好幾塊，造成不可挽回的破壞，這背後反映的其實是中西方繪畫的理念差異。

🔍 　　《女史箴圖》所畫的內容來源於西晉大臣張華的一篇詩文《女史箴》，主要是告誡宮廷女子該如何尊崇婦德，所以這是一幅承載著教化功能的畫作，但顧愷之突破了那個時代的侷限，將整幅畫當作藝術品來對待，把它畫得極具美感。

🔍 　　中國繪畫重線條，不像西方更注重色彩和體積，這個基調其實從《女史箴圖》就開始形成了。畫裡顧愷之用「高古遊絲描」完美勾勒出眾多人物形象，異常傳神，他也因此被後人稱為「中國畫祖」。

04

亞述獵獅浮雕

為什麼國王熱衷獵獅？

亞述獵獅浮雕

西元前635年

主層大廳樓10a號展間

👑 亞述巴尼拔（Ashurbanipal）

👤 統治時期：西元前668-631年

世界最早的帝國

　　一提起伊拉克，你會想到什麼？戰亂、恐怖主義，還是海珊？的確，這個常年處於戰爭狀態的國家，總是給我們一種混亂甚至恐怖的感覺。但在2600多年前，這個國家也曾雄霸一方，那裡可是全世界最早的帝國亞述（Assyria）的誕生地，就連《聖經》裡都曾記載過亞述的都城尼尼微（Nineveh），而尼尼微就位於現在的伊拉克摩蘇爾（Mosul）旁邊。

　　亞述作為全世界最早的帝國，它的疆域在國王亞述巴尼拔統治時達到巔峰。亞述巴尼拔不但統一了整個美索不達米亞平原，還一度將埃及、敘利亞、巴勒斯

坦也都收入囊中。在他的統治時期，亞述帝國人口近690萬，佔了當時全世界人口的三分之一。也難怪亞述巴尼拔會這樣描述自己：「我是亞述巴尼拔，亞述之王，世界之王。」的確，在他的那個時代，亞述巴尼拔就是全世界最強大的男人。在大英博物館主層的10a號展間裡陳列著很多浮雕，它們原本都是在亞述首都尼尼微的皇宮牆壁上，這些浮雕描繪的都是國王亞述巴尼拔在競技場上舉行的獵獅儀式，因此也被後人稱為「獵獅圖」。整個獵獅圖對亞述巴尼拔的獵獅活動進行了極其精彩的刻畫，被譽為亞述藝術水準最高的傑作。

彰顯王權，殘暴的亞述帝國

　　自古以來，「獵獅」一直都是一種彰顯王權的活動，埃及的法老們也會經常獵獅，因為獅子是百獸之王，征服了牠們也就意味著征服了整個大自然，從政治角度來講，也意味著國王是有神權加持的，因為他可以戰勝一切野蠻，從而能夠好好地保護他的子民。

　　雖然那麼多國家都有獵獅的傳統，但亞述國王對這項運動是最痴迷的。據說，亞述巴尼拔一生中足足殺掉了將近5000頭獅子，怪不得在《聖經》裡，尼尼微被稱為「獅子的巢穴」。

　　亞述的國王們不但熱衷獵獅，還很喜歡讓藝術家們用浮雕的形式將自己獵獅的場景刻畫在宮殿牆壁上。一般的國王都喜歡在宮殿牆壁上宣揚自己的治國之道，但亞述帝王卻完全不同，他們的宮牆上描繪的要麼是獵獅，要麼就是殘忍的戰爭。這主要是因為亞述是一個殘暴的軍事帝國，整個國家就像是一台巨型的戰爭機器，它就是靠著對外擴張才發展起來的。而且亞述的對外擴張，一向以殘忍出名，如果敵軍投降還好，不投降的話就會屍橫遍野，亞述士兵會砍下敵人的頭顱，還會將他們活生生地剝皮。據說亞述巴尼拔在攻打埃蘭（Elam）的時候，砍下的人頭都能堆起一座山丘。

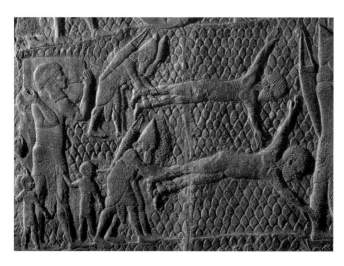

♛ 拉吉浮雕（Lachish Reliefs）
🐎 曾位於尼尼微西南皇宮
　　（Nineveh Southwest Palace）

🏛 西元前700-681年
♟ 亞述士兵正將敵人活生生地剝皮

👑 獅子從牢籠裡被放出來

　　所以你現在應該能瞭解亞述的君王如此熱衷獵獅,並把它們做成浮雕的原因
了吧。對於他們而言,狩獵場就是戰場,獵獅能讓國王向世人展現他的無往不
勝,這很能增強亞述士兵在戰場上殺敵的信心。

獵獅浮雕的悲壯美

　　大英博物館所收藏的亞述獵獅浮雕,非常完
整地還原了2600多年前亞述巴尼拔的獵獅儀式。
我們來看上圖,儀式開始的時候,僕人們慢慢地
將獅子從籠子裡放出來。另外,競技場的四周也
站滿了拿著長矛的士兵,他們的存在是為了防止
獅子們逃出競技場。

　　亞述巴尼拔頭戴高禮帽,英姿颯爽地站在飛
馳的戰車上,朝著一群獅子狂射箭。為了凸顯國
王的無所畏懼,藝術家刻意將他的形象塑造得非

👑 站在競技場四周的士兵

常冷靜,即便他正處於一場非常危險的人獸搏鬥之中。

👑 在戰車上射箭的亞述巴尼拔

👑 亞述巴尼拔與獅子搏鬥的場景

👑 垂死的公獅

　　尤其是左下這件浮雕，亞述巴尼拔居然徒手和一隻獅子搏鬥，獅子的爪子都快抓到國王了，但他依然是那麼冷靜。亞述巴尼拔左手掐住獅子的脖子，右手直接用劍刺穿了獅子的身體。與國王的冷靜相比，獅子瀕死的狀態實在是刻畫得太真實了，它的整張臉都因為劇痛而堆起了皺紋，眼睛深陷在眼窩裡，散發出一種極其絕望的眼神。

　　其實，大英博物館的獵獅圖之所以被後人稱為是亞述藝術水準最高的傑作，和主角亞述巴尼拔並沒有什麼關係，這些浮雕最傑出的地方，反而是那些被捕殺的獅子。在整個狩獵場上，國王就是神一般的存在，為了凸顯他的英勇無畏，他一直都面無表情、異常冷靜。但是獅子的狀態卻完全不同，活的、死的、垂死掙扎的，每一隻獅子的表情和動作，都被雕刻家異常仔細地刻畫了出來。

　　我們來看上圖這頭已經中箭的雄獅，牠顯然已經站不起來了，但牠的前腿依然在苦苦支撐，腿部肌肉都被拉得非常緊，你能感受得到牠還想要頑強地站起來，試圖維持牠最後的尊嚴。另外，這頭獅子還在大口吐血，在藝術史上，這應該是最早描繪殺戮時的鮮血，它就像噴泉一般，從獅子的口中噴出來。

　　　　　　　　　　　　　　　　　　　　　　《亞述獵獅浮雕》：為什麼國王熱衷獵獅？

♚ 垂死的母獅

　　還有上面這頭母獅浮雕，也是極為精彩的作品。母獅已經身中三箭，鮮血不停地從傷口中流出。牠的後半身已經完全癱倒在地，但牠依然昂著頭發出了最後的怒吼，實在是太悲壯了！

對百獸之王的憐憫之心？

　　每次我在大英博物館看獵獅圖時，都會被那些獅子深深打動，一方面會覺得牠們被人獵殺很可憐，另一方面又覺得牠們死得很有氣魄，不愧為百獸之王。我一直在想：2600多年前的亞述藝術家，又是懷著怎樣的心情去刻畫這些獅子呢？他們會不會也對獅子起了憐憫之心？還是說他們刻意去凸顯獅子的悲壯，依然是出於政治目的：強調牠們凶猛的獸性，從而襯托出國王的英勇。

　　其實不管是出於什麼原因，不可否認的是，那些形態各異的獅子，的確為血腥、冰冷的亞述藝術增加了一點人性化的色彩。這批獵獅圖被收藏在大英博物館，它們如果留在尼尼微的話，恐怖分子是絕不會放過它們的。現在的大英博物館，已經變成收藏亞述古文物最多、也是最全的地方了，真心地希望大英博物館能一直替全人類將這批珍寶好好地守護下去。

程老師敲黑板

　　獵獅浮雕是亞述藝術水準最高的傑作，它所描繪的是2600多年前亞述帝王亞述巴尼拔在競技場上舉行的獵獅儀式。這是一批用來彰顯王權的浮雕，因為國王能戰勝獅子意味著他擁有神的庇護，也說明他能戰勝一切蠻族，保護好他的子民。

　　雖然很多國家都有獵獅的傳統，但亞述國王們是最痴迷於此的，因為亞述是一個非常好鬥的軍事帝國。透過獵獅，亞述國王能夠向世人展現他的英勇，這能夠大大加強亞述士兵在戰場上殺敵的信心。

　　獵獅浮雕最精彩的地方並不是主角國王，而是那些被捕殺的獅子。雕刻家將每一隻獅子的表情和動作都精心刻畫了出來，尤其是那些處於垂死狀態的獅子，你甚至都能感受到牠們依然在頑強地抵抗和怒吼，非常能觸動人心。

05

內巴蒙墓室壁畫

古埃及人理想的生活是怎樣的？

The tomb-chapel of Nebamun

內巴蒙墓室壁畫

約西元前1400-1300年

上層3樓61號展間

陵墓位置至今是謎

　　古埃及和中國一樣是四大文明古國之一，但很可惜的是，它的文明並沒有傳承下來，現在的埃及其實是一個阿拉伯國家。大英博物館裡有一件古埃及的珍寶——內巴蒙墓室壁畫，它被認為是古埃及留存至今的最偉大壁畫，但我認為這件文物最有意義的地方在於：透過這些壁畫我們可以瞭解到，那些已經消失在歷史長河中的古埃及人，他們心中的理想生活是怎樣的。

　　內巴蒙是一位和我們相隔近3400年的古埃及人，他是底比斯主神廟的會計師，專門負責記錄百姓們供奉給神的糧食數目。你可別小看這個職業，在當時的埃及他可是處於絕對的菁英階層，在內巴蒙墓室壁畫裡就有這樣兩個場景（P62）：農民們牽著牛、趕著鵝前來供內巴蒙巡查，他們甚至還向內巴蒙下跪以表尊敬，可見內巴蒙是一個非常有權威的人。這其實也很容易理解，畢竟在古代農業社會，能精確地管理好糧食的儲存及分配，對一個國家來說是極為重要。

　　大英博物館收藏的內巴蒙墓室壁畫並不是完整的，而是11個零散的場景，這主要是因為這些壁畫的來源一點也不光彩。1820年，英國在埃及政府沒有授權的情況下，私下資助了希臘探險家喬瓦尼（Giovanni d'Athanasi），讓他在埃及搜尋古文物。喬瓦尼在底比斯的尼羅河西岸挖掘到內巴蒙的陵墓，隨後他就很粗暴地用刀鋸和撬棍切割下了陵墓中他覺得最漂亮的壁畫，將它們賣給大英博物館。至於內巴蒙的陵墓，喬瓦尼到死也沒說出它的所在位置，所以至今依然是個謎。

♛ 內巴蒙墓室壁畫《內巴蒙捕禽圖》
　（ The tomb-chapel of Nebamun：Nebamun hunting in the marshes ）
♟ 新王國第十八王朝，約西元前1400-1300年
♞ 上層3樓61號展間（Upper floor, Level 3, Room 61 ）
♜ 畫面描繪的是內巴蒙帶著家人去沼澤地捕獵

《內巴蒙墓室壁畫》：古埃及人理想的生活是怎樣的？

♕ 內巴蒙墓室壁畫《內巴蒙視察牛和鵝》
（ *The tomb-chapel of Nebamun：Nebamun viewing his geese and cattle* ）
♟ 農民們帶著牛和鵝前來供內巴蒙視察，並向內巴蒙下跪

👑 內巴蒙墓室壁畫《內巴蒙宴會圖》
（ *The tomb-chapel of Nebamun：A feast for Nebamun* ）

奇葩的多視角古埃及繪畫

　　內巴蒙墓室壁畫的11個場景所反映的都是古埃及貴族的奢侈生活，其中有的是描繪內巴蒙在宴會上享受著美酒和佳餚，有的是描繪內巴蒙帶著家人去沼澤地捕獵。這些應該就是古埃及人眼中最為理想的生活方式，內巴蒙希望這種生活方式在他死後也能繼續，所以才將它們都畫在墓室的牆壁上。下頁這幅《花園內的池塘》也是內巴蒙墓室壁畫中的一個場景，這是一幅很奇特的畫，它描繪了一個長方形的池塘，池塘的四周還環繞著一群碩果纍纍的大樹。畫家描繪池塘時用的是俯視角度，也就是由上往下看，但是池塘四周的樹木，還有池塘裡的鴨子和魚，描繪牠們用的可不是俯視的角度，而是側面的，也就是說畫家呈現的是從側面觀察牠們的結果。

♛ 內巴蒙墓室壁畫《花園內的池塘》
（ *The tomb-chapel of Nebamun：Pond in a Garden* ）

　　這種多視角的構圖方法反映的其實是古埃及人的一種繪畫理念：那就是他們
對呈現雙眼所看見的真實景象並沒有多大興趣，他們想展現的永遠是事物最具有
特徵性的那一面。比如說要畫池塘，那當然是從上往下看最清楚，所以就用俯視
的角度。但如果要畫樹，當然從側面看最清楚，所以就用側面的角度。

　　這個繪畫特點幾乎貫穿了內巴蒙墓室壁畫中的所有場景，比如在《內巴蒙捕
禽圖》（P60）裡，你仔細看就會發現內巴蒙的臉用的是側面視角，因為那樣看
五官的輪廓最清晰，但眼睛除外，所以眼睛又轉變成了正面視角。

🔱 內巴蒙墓室壁畫《花園內的池塘》局部

　　其實不光是內巴蒙墓室壁畫，幾乎所有的古埃及繪畫，都存在著這種「展現最具特徵性」的特點，因為這是由古埃及繪畫本身的功能性所決定的。

為死亡服務的古埃及藝術

　　古埃及是一個將死看得比生還重要的國家，古埃及藝術就是完全為死亡服務的。木乃伊、金字塔這些都是墓葬藝術的產物，古埃及繪畫也是一樣，它們基本上都是畫在墓室裡的，所以那並不是給活人看的，而是給死人看的。就好像內巴蒙，他之所以會在墓室裡畫這些壁畫，是希望自己在死後也能按照壁畫裡的場景那樣幸福地生活，這就意味著那些繪畫無須寫實，它的功能性才是第一位，也就是說要讓死者看得清清楚楚：畫裡描繪的是什麼場景，畫裡的人又在做些什麼。

　　古埃及這種特殊的繪畫風格在王朝初期就存在，一直持續了3000多年，而在人類的歷史上，沒有一種藝術風格有如此長的壽命。古埃及人之所以能做到這一點，還是因為它的繪畫功能從未改變過，從始至終，都是為死亡服務的。

👑 《梯觀獵河馬》
（ *Ti watching a hippopotamus hunt* ）
🧍 第五王朝，約西元前2450-2325年，高約122公分

👑 《內巴蒙捕禽圖》局部

生動豐富的巔峰之作

　　古埃及繪畫一般都非常的扁平和扭曲，因為它重在展現資訊量，而非傳達美感，內巴蒙墓室壁畫之所以被後人稱為古埃及留存至今的最偉大繪畫，那是因為和普通的古埃及繪畫相比，它的畫面實在是太過豐富和生動了。

　　就拿捕獵來說吧，這是古埃及墓室中的傳統題材。比如左上的這幅《梯觀獵河馬》就是第五王朝時期的作品，你拿它和《內巴蒙捕禽圖》一比，就能發現它們之間的巨大差異：內巴蒙的這幅色彩要豐富得多，人物也被刻畫得栩栩如生，內巴蒙的左手正揮動投射器，右手緊握剛被他生擒的三隻鳥，一切都充滿了動感。另外，沼澤地裡的蘆葦、蝴蝶、鴨子、貓等，這一切都被非常細緻地描繪，

🎔 《內巴蒙捕禽圖》局部：貓捕捉鳥

尤其是貓的動作刻畫，兩支爪子抓住了一隻鳥，嘴巴還咬著另一隻鳥的翅膀。牠的皮毛紋理也都清晰可見，這樣生動寫實的刻畫，在一貫呆板的古埃及繪畫中可以說是巔峰之作。

再來看《內巴蒙宴會圖》的細節（P68），這幅畫就更與眾不同了，因為畫裡那兩位奏樂者，她們是完完全全的正面畫像，也就是說她們從五官到身體都是從正面去描繪的，非常寫實，這就完全打破了古埃及幾千年來的藝術法則，在古埃及繪畫中真的是非常罕見。

內巴蒙墓室壁畫不僅展現了畫面的豐富和生動性，還有敢於突破藝術規則的大尺度，就是這兩點，讓它成了古埃及繪畫中獨一無二的精品。

♔ 《內巴蒙宴會圖》局部
♟ 畫裡那兩位裸體舞者所跳的舞，很有可能是現代肚皮舞的起源，樂手們
　頭上頂著的是能夠散發香味的香蠟，其實就是古埃及的香水

讓內巴蒙墓室壁畫如此特別的兩大原因

　　那為什麼內巴蒙墓室壁畫能這麼特別呢？這其實有很多方面的原因，但主要
還是以下兩點。

　　首先，內巴蒙雖然是高官，但他並非皇室成員，他的喪葬儀式就沒有皇室那
樣嚴格，所以他的墓室壁畫並不一定要百分之百遵守古埃及流傳下來的藝術法
則，是可以讓畫家們小小地發揮一下的，所以才出現了罕見的正面畫像。

　　此外，內巴蒙是古埃及第十八王朝的官員（約西元前1400-1300年），當時的
埃及已經歷過外族統治，第十五和第十六王朝（約西元前1650-1550年）其實都
是由亞洲西部的希克索人（Hyksos）統治的。他們的到來對古埃及本土文明造成
很大的衝擊，但也產生了新的融合，所以內巴蒙墓室壁畫的風格才會如此豐富。

程老師敲黑板

　　內巴蒙墓室壁畫被譽為古埃及留存至今的最偉大繪畫，它描繪了古埃及人眼中最理想的生活方式。內巴蒙之所以將他的生活場景都畫在墓室的牆壁上，是希望這種生活方式在他死後也能繼續。

　　內巴蒙墓室壁畫反映了古埃及人的繪畫理念，那就是他們無意去呈現所看見的真實景象，他們喜歡展現的是事物最具有特徵性的那一面，這是因為古埃及的繪畫從始至終都是為死亡服務的，這個特點導致古埃及的繪畫都非常的扁平和呆板。

　　內巴蒙墓室壁畫不同於一般的古埃及繪畫，它生動寫實，甚至出現了罕見的正面畫像，這主要是因為內巴蒙並非皇室成員，不一定要百分之百嚴格遵守藝術法則。另外，內巴蒙所生活的古埃及第十八王朝，已經歷過外族的統治，在文化上也形成了新的融合。

烏爾軍旗

人類最早的城市是如何運轉的？

Standard of Ur

烏爾軍旗

約西元前2600年

上層3樓56號展間

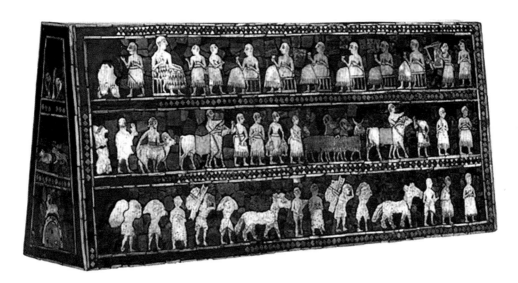

👑 烏爾軍旗（Standard of Ur）

🏛 約西元前2600年，長21.59公分，厚49.53公分

♞ 上層3樓56號展間（Upper floor, Level 3, Room 56）

美索不達米亞的至寶

人類最早的城市誕生在哪裡？根據目前的考古結果，應該是6000多年前，蘇美人（Sumer）在美索不達米亞平原上建立了人類的第一批城市。其中，烏爾城（Ur）就是他們所建立的最早城市之一，它的位置就在現在伊拉克的納希里耶（Nasiriyah）附近。烏爾城在古代非常有名，就連《聖經》中都有關於它的記載，是先知亞伯拉罕的家鄉。

大英博物館藏有一件美索不達米亞的至寶，就是烏爾軍旗。這件文物上鑲嵌著極為精美的圖案，更重要的是，這些圖案所描繪的正是4600年前的烏爾城。透過它，我們就能穿梭回去，看一下全世界最早的城市是如何運轉的。

👑 烏爾軍旗和平場景

烏爾軍旗並不是一面旗

　　烏爾軍旗是英國考古學家倫納德・伍利（Leonard Woolley）在烏爾城的皇室陵墓裡挖掘出來的。那大概是在1927年，伍利發現它時，覺得它好像是裝在一根桿子上作為軍旗用的，便為它取名為「烏爾軍旗」。但事實上烏爾軍旗並非一面旗幟，而是一個空心的小木箱，它的真實用途到現在都有爭議，有人說它是一件樂器，也有人說它是一個珠寶盒。

　　在這裡我要額外插一嘴，大英博物館雖然一直都有搶別人東西的壞名聲，但這件烏爾軍旗可不是搶來的。事實上，大英博物館資助倫納德・伍利在烏爾城遺址進行長達12年的考古，當時的伊拉克政府對此也是完全同意的，關於挖掘出來的文物，兩國之間會進行協商分配，所以烏爾軍旗是完全合法的考古所得──其實大英博物館裡有很多古文物都是透過這樣的渠道收集而來的。倫納德・伍利在烏爾考古時，偵探小說女王阿嘉莎・克莉絲蒂（Agatha Christie）曾數次到訪考古現場，這給她帶來了很多靈感，並由此寫出著名的《美索不達米亞驚魂》。

♛ 和平場景第一層：國王與貴族

烏爾軍旗正反兩面都有著極其精美的圖案，這是當時的蘇美人在刷有瀝青的木板上，用貝殼、紅色石灰岩、青金石等不同的材料鑲嵌而成的，每一面圖案都有各自的主題，它們分別展現了戰爭與和平的場景。

和平場景看見昔日物產富庶

♛ 第一層局部：歌手與里拉琴演奏者

我們先來看表現和平的那一面（P73），整個圖案分為三層：最上面那一層，國王和權貴們正在舉行一場「轟趴」。國王坐在最中間，他的體型比其他人都大，頭部甚至都超出了框架，藝術家這樣刻畫國王就是為了凸顯他的尊貴地位。在宴會上，服務生正來回走動忙碌著，最右端還有一位長頭髮歌手和一位里拉琴演奏者，他們顯然正在為整場宴會助興。看到這裡就不得不感嘆，4600年前的宴會模式，和我們今天也沒什麼兩樣。

👑 和平場景第二層：
烏爾城的人民

👑 和平場景第三層：
奴隸

　　圖案的第二和第三層，描繪的都是烏爾城的人民正排隊獻上自己的貢品，他們牽著牛和羊，還有人手裡拿著魚，由此可見當時的烏爾城農業物產是很富庶的。在農業發達的情況下，貿易就能發展起來，因為人們可以用多餘的糧食去和周邊地區的人換其他物品。美索不達米亞平原雖然肥沃，但有很多資源都是稀缺的，比如烏爾軍旗上所用的貝殼、紅色石灰岩和青金石，這幾種材料都是蘇美人透過貿易交換而來的。貝殼應該來自印度洋阿拉伯海西北海灣，紅色石灰岩來自印度，青金石則來自阿富汗，這足以說明當時的烏爾貿易已經相當發達，也再次驗證了他們農業物產的富庶。

《烏爾軍旗》：人類最早的城市是如何運轉的？

👑 烏爾軍旗戰爭場景

　　另外，你再仔細對比一下這三層裡的人物穿著，就會發現越往下走，人就穿得越破：第一層的王公貴族穿的是羊毛裙（裙子是當時蘇美人的傳統服飾）；第二層應該是平民，他們穿的是普通裙子；而最底層就應該是奴隸了，他們貌似連裙子都穿不起。這說明在當時的烏爾城，階層分化已經非常明顯。

戰爭場景看見精良軍備

　　接下來，我們再來看烏爾軍旗的另一面，它表現的是戰爭場景，畫面同樣分為三層。

　　第一層描繪的是烏爾國王在士兵的陪同下巡視戰俘，這是很有政治意味的，因為作為國家的最高統治者，展現他能夠守衛自己國家的實力極為重要。

　　第二層描繪的是戰鬥場面，其中最突出的就是左邊的烏爾士兵，他們都統一著裝：身穿披風，頭戴銅盔，披風上還有一個個銅釘，它們都是起防禦作用的。由此可見，當時的烏爾，軍事裝備非常精良。

　　最底層描繪的就是勝利場面了，戰車馳騁在戰場上，戰車下還碾壓著苦命的敵人。

♛ 戰爭場景第一層：國王巡視

♛ 戰爭場景第二層：士兵戰鬥

♛ 戰爭場景第三層：凱旋

　　　　　　　　　　　　　　《烏爾軍旗》：人類最早的城市是如何運轉的？

🏛 烏爾軍旗上的四輪戰車是由野驢拉的

人類歷史上最早的四輪戰車

　　長久以來，烏爾軍旗被人關注最多的一點，就是前面所提到的戰車，因為這是目前已知人類歷史上最早的四輪戰車形象，中國古代戰車的出現比它晚了將近700年。

　　美索不達米亞平原是一個打仗像吃飯一樣頻繁的地方，因為它四周沒有天然屏障，外族入侵的頻率非常高，導致蘇美人在戰爭這方面很擅長，無論是兵種還是武器都發展得相當先進，烏爾軍旗上的四輪戰車就是最好的證明。要發明出戰車，就得先造出輪子，從某種程度上來說，蘇美人發明的輪子才是他們對人類做出的最重要貢獻，畢竟現代汽車用的也依然是輪子呀。

關於烏爾軍旗上的四輪戰車，有一點非常好玩，那就是它並不是由馬來拉動的，而是野驢，因為在4600年前，蘇美人還沒有成功地馴化馬這個物種。每輛四輪戰車都配有兩名成員，在前面的那位是駕馭戰車的馭手，後面那位就是戰士了。戰車前方都豎有很高的擋板專門用來防禦敵人，最前方的擋板還是傾斜的，這樣就可以安穩地擺放車內的長矛等武器，方便打仗時快速取用。

蘇美人的四輪戰車基本上都是貴族提供的，因為製作費用非常昂貴，所以，戰車從某種程度上來說也是一種社會地位的象徵，在皇室和貴族的陵墓中，戰車都會是最高級的陪葬品。比如發現烏爾軍旗的王陵，在它的墓室外面，考古學家就發現了帶輪的戰車。

4600年前的城市社會模式

烏爾軍旗這件珍貴的文物，讓我們瞭解世界上最早的城市烏爾城是如何運轉的，如果我們再往內深挖一點，就會發現它所反映的其實是一種社會模式，一種主導著人類幾千年農業社會的通用模式。

在烏爾軍旗和平的場景中，國王和貴族正在宴會上享受，而平民和奴隸則排著隊來進貢食物，這意味著百姓創造出來的剩餘價值，是被上層的菁英群體所消費掉的。再來看戰爭的場景，它顯示出了裝備精良的軍隊和戰勝敵軍的實力，那是國王在彰顯自己的強大，但是他的這種強大，依然是建立在榨取百姓勞動力的基礎之上，因為軍隊和行政機構都需要錢來供養，而這些錢就是百姓的勞動力提供的。這便是典型傳統農業社會的運作模式：國王用強大的軍隊來抵禦侵略從而為自己樹立權威，隨後他又用這種權威來支配大臣和子民。但實際上，國王的權威就是完全建立在剝削下層勞動力的基礎上。

♛ 烏爾軍旗戰爭場景局部

程老師敲黑板

烏爾軍旗是美索不達米亞文明的至寶,它上面的圖案描繪了全世界最早的城市之一烏爾城的運作情況。但烏爾軍旗並非一面旗幟,而是一個空心的小木箱,它的用途至今也不明確。

烏爾軍旗上的圖案反映出當時的烏爾城農業很發達,和周邊地區也有很頻繁的貿易往來。另外,烏爾城的軍事力量也很強大,武器裝備精良。圖案上所刻畫的戰車,是目前已知人類歷史上最早的四輪戰車形象。

烏爾軍旗背後反映的其實是人類幾千年來農業社會通用的社會模式:國王用精良的軍隊抵禦侵略,他以這種權威來支配著大臣和子民,但這一切其實都是建立在剝削下層勞動力的基礎上。

07

游泳的馴鹿

一萬多年前的人類與我們有多大差別？

The Swimming Reindeer

游泳的馴鹿

約西元前11000年

非長期展出藏品

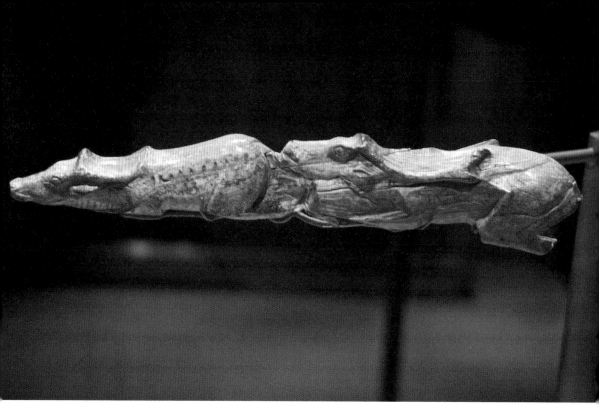

♛ 游泳的馴鹿（The Swimming Reindeer）

♟ 約西元前11000年，猛獁象牙雕，長20.7公分

♞ 非長期展出藏品

史前人類與我們無所差別的精神世界

作為現代人類，我們總會把幾萬年前的史前人類想得很低能，我想這應該是受到了達爾文進化論的影響。它給了現代的我們一種莫名的優越感，以為自己就是人類這個物種的最高和最新版本，而那些史前人類必然是沒進化完成的，他們住在原始的山洞裡，渾身長滿了毛，只會咿咿呀呀地說話。

但如果你看過大英博物館裡最著名的史前文物「游泳的馴鹿」，我保證它絕對會顛覆你的認知，你會發現史前人類一點也不愚蠢，他們的物質生活條件或許遠不如我們，但他們的精神世界其實和我們差不了多少。

游泳的馴鹿是整個大英博物館裡最古老的藝術品，那是13000年前的人類在

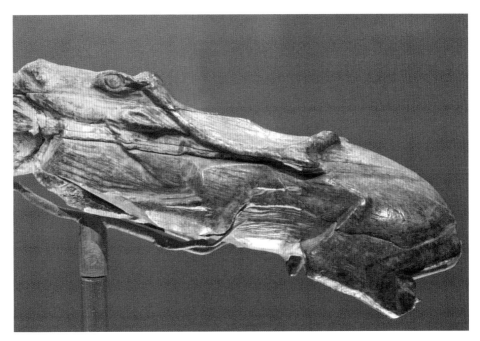

♟ 游泳的馴鹿局部：雄鹿

猛獁象牙上雕刻的兩隻馴鹿，牠們一前一後呈現出游泳的姿態。這件雕塑流傳到今天已經非常脆弱，所以一般都放在恆溫箱裡很少移動，生怕一動整件雕塑就會立刻化為灰燼。

　　我們來仔細看一下這件雕塑：兩隻馴鹿都抬著下巴，鹿角並沒有豎起而是朝後貼在身體上，鹿腿也是處於一個彎曲發力的狀態，所有這些都完美符合馴鹿游泳時的姿態。由此可見，製作這件雕塑的史前人類，一定是花了很長時間來觀察馴鹿游泳過河。

　　如果再細看一下這件雕塑，你就會發現它更精彩的地方：這兩隻馴鹿其實是一雌一雄，牠們的性別特徵也被仔細地雕刻出來。雄鹿位於雕塑的後方，它的鹿角比雌鹿大很多，幾乎覆蓋了整個後背，在雄鹿的身體下方，你甚至能看見牠的生殖器。這隻雄鹿的眼睛是最漂亮的，炯炯有神，異常生動。

♔ 游泳的馴鹿局部：雌鹿

一雄一雌，雙鹿合體

　　位於雕塑前方的雌鹿體型就比雄鹿小了很多，這也正是雕刻家會將牠放在象牙前端的原因。由於猛獁象牙的形狀是由細變粗的，為了充分利用材料，雕刻家只能將體型較小的雌鹿放在前端，而牠身後較粗的象牙部分就留給個子較大的雄鹿。另外，這裡還有個很精妙的設計，你去看象牙最前端的尖部，它正好被雕刻家拿來雕成了雌鹿的鼻尖，當時的人類真的是太聰明了！

　　在冰河時代，能雕刻出這樣一件精美的作品，是非常不可思議的。首先你要有堅硬的工具，能把猛獁象牙切下來，另外你還要非常仔細地去雕刻細節，最後你還需要對整個雕塑進行打磨和拋光。即便是在現代，擁有一切便利工具的我們也未必能做出如此精美的藝術品來，更何況那是13000年前，那時俄羅斯和阿拉

斯加都還連著呢，當中有一條寬闊的陸橋，人類可以直接從亞洲走到美洲。

　　游泳的馴鹿反映出史前人類高超的製作能力，說明當時人類的狩獵文明已經相當發達，他們的食物和居所應該很有保障，否則誰還有空會去雕這兩頭不能吃也不能用的馴鹿呢？

　　這件雕塑是1866年在法國的西南部城市蒙塔斯特呂克（Montastruc）被挖掘出來的，一經面世就引起了巨大轟動，因為在當時還沒有任何冰河時期的重量級藝術品被發現（著名的史前拉斯科洞穴是1940年被發現的），所以這對馴鹿的出現，完全刷新了大家對冰河末期人類生活水準和製作能力的認知。1887年，大英博物館在銀行家亨利‧克里斯蒂（Henry Christy）的資助下，以近15萬英鎊的高價將這對馴鹿從法國人手裡買了下來。

13000年前的人類，為什麼要雕刻它？

　　這對游泳的馴鹿對於冰河時代的人類，是沒有任何實際用途的，所以它並不是一件工具，而是一件百分之百的藝術品。由此可見，雖然13000年前的人類是靠原始的狩獵採集為生，但他們已經有複雜的思維方式，開始懂得欣賞美了。

　　我們現代人類的祖先智人大約是在20萬年前出現的，隨後在西元前3萬年左右，智人迎來文化大爆炸，他們完善了製造工具，開始燒泥燒瓦、建造居所，從而慢慢進化成人。人類和動物最大的區別就在於人類擁有想像力，能夠將生活中看到的事物，以一種藝術的方式重現，這件游泳的馴鹿就是最好的證明。

　　在冰河時代，馴鹿是當時人類的生存保障，鹿肉能拿來吃，鹿皮能拿來做衣服抵禦寒冷，鹿的骨頭和角還能做武器和工具，所以當時的人類才渴望去描繪他們。他們是想透過這小小的雕塑，來表達自己和這個世界的複雜聯繫，人類藝術的故事也正是這樣開始的。

♟ 馴鹿游泳的場景

為宗教儀式而雕

　　對於這對游泳的馴鹿，學界還存在著另一種解釋，那就是宗教儀式。因為馴鹿大多是秋天遷徙的時候游泳，恰好也是最容易捕獲牠們的季節，所以人類才會將馴鹿描繪成游泳的形態。他們是想把「游泳」這個動作固化下來，因為他們認為這樣會產生魔力，會更容易捕獲馴鹿，這其實和用針扎小人的迷信非常相似。這種宗教信仰的理論也是很有道理的，畢竟在冰河時期，人類並非處在生物鏈的頂端。那甚至是一個人很不願意當人的時代，因為有很多比人類凶狠的動物，牠們隨時都可以威脅到人類的生命，但人類還是要在那個凶險的環境中去捕獵，唯獨這樣他們才能生存下來。所以他們製作動物的雕像或者將牠們的形象畫下來，以此來作為一種精神上的信仰，是非常說得通的。

　　其實不管是出於哪種原因，不可否認的是，這件雕塑的確激發出史前人類的想像力與創造力，打開人類藝術史的篇章，人類也因此成了真正的人。從藝術的角度去看，現代的我們和13000年前的他們確實是共通的。同時我也深信，這個共通點，未來的人類也依然會將它傳承下去。

程老師敲黑板

　　游泳的馴鹿是大英博物館收藏的最古老藝術品，它是由13000年前的史前人類用猛獁象牙雕刻而成的，這件雕塑反映出當時人類高超的製作能力，完全刷新了現代人對冰河末期人類生活水準的認知。

　　游泳的馴鹿是沒有任何實際用途的，所以它並不是一件工具，而是一件藝術品。這說明冰河末期的人類雖然還是靠原始的狩獵採集為生，但他們已經有複雜的思維方式，開始懂得欣賞美了。

　　游泳的馴鹿也很有可能代表著史前人類的一種宗教儀式，因為馴鹿在游泳時是最容易被捕獲的，所以當時的人才將馴鹿刻畫成游泳的形態，為的是把這個動作固化下來，他們認為這樣能產生魔力，會有利於他們狩獵。

第
二
單
元

全球文明

01

02

03

04

05

06

07

08

09

從這一章節開始，我將帶你真正地在大英博物館裡「思考整個世界」。為此，我特意選了九件文物，它們幾乎覆蓋了全世界各個地區的文明：其中有四大文明古國，也有波斯、古羅馬這種橫跨歐亞非三大洲的巨型帝國，還有馬雅、復活節島，甚至是英國人自身的盎格魯－薩克遜文明。

透過這九件文物，我會帶你一覽人類文明長河中，不同地區、不同文明的樣子，你一定會被這些文明的多樣性震撼到，因為在全球化的今天，是很難感受到文明的原創性了。

其實，這九件文物所代表的古文明，絕大部分都已經消失了，比如古埃及、馬雅、美索不達米亞等等。但我一直認為文明或許會消失，但它從來都不會真正地死去，它會換一種方式，融合到後來的文明中。希望你看完這九件文物後，也會得到不一樣的啟發。

拉美西斯二世雕像

埃及法老的雕像為什麼都那麼像？

Statue of Ramesses II

拉美西斯二世雕像

約西元前1250年

主層大廳樓4號展間

高度集權的金字塔型社會

古埃及是全世界最早出現文明的地方之一，早在西元前5450年，古埃及文明就已初步形成，中國遠古時代的黃帝可是要在2700年之後才出現呢。但古埃及地區其實是一個非常不適合人類居住的地方，因為它絕大部分土地是沙漠，有時十年都不會下一次雨，要發展農業簡直是天方夜譚。

但古埃及人又很幸運，因為他們有世界第一長河—尼羅河，尼羅河橫穿整個埃及境內，讓人們的日常用水有了保障。更神奇的是，尼羅河每年都會在固定的時節泛濫，淹沒大片土地。但河水中卻會夾帶著豐富的養料，於是那些被淹沒的土地相當於被施了一次肥，古埃及人就這樣成功地在沙漠裡發展出農業。

古希臘歷史學家希羅多德（Herodotus）曾說過：「埃及是尼羅河的贈禮」，這話一點不假。因為尼羅河的哺育，古埃及人開始在沙漠定居，並不斷擴大族群，西元前3150年，南北埃及完成統一，古埃及33個王朝，長達3000多年的歷史就這樣拉開了序幕。

古埃及的政權在它3000多年的歷史中基本都很穩定，很少有外族的入侵，因為埃及的地形實在是太好了，四周都是天然屏障，敵人很難從外面攻進來。但也正是因為這種長久的穩定，讓古埃及變得非常保守和封閉，從而形成一個高度集權的金字塔型社會，而一直位於金字塔頂端的，就是那些歷任的法老們。

徹底改變歐洲人三觀的拉美西斯二世雕像

古埃及所有的法老中，最著名的大概就是拉美西斯二世。他是第十九王朝的法老，當時的埃及在他的統治下變得異常強大，拉美西斯二世的統治時間長達67年，比康熙還多6年。另外，他還生了100多個兒子和50多個女兒，是名副其實的「百子千孫」。

♔ 拉美西斯二世雕像（Statue of Ramesses II）

🧍 約西元前1250年，花崗岩，高2.67公尺，重7.25英噸

♞ 主層大廳樓4號展間（Ground floor, Level 0, Room 4）

　　在大英博物館裡，有一座巨大的拉美西斯二世雕像。它高近3公尺，重有7英噸多，是整個埃及館裡最醒目的文物，一走進去一定能看見。雖然這種體積的拉美西斯二世雕像在埃及境內有很多，但大英博物館裡的這一件卻有著與眾不同的意義，因為它是第一件來到歐洲的古埃及雕塑。它的到來徹底更新了歐洲人的認知，讓他們明白在古希臘文明之前，還存在著非常輝煌的古埃及文明。

《拉美西斯二世雕像》：埃及法老的雕像為什麼都那麼像？

👑 拉美西斯二世雕像搬運圖

法英爭搶入手

大英博物館的這件拉美西斯二世雕像原本位於底比斯的拉美西姆神殿（Ramesseum）門口，拿破崙遠征埃及的時候看中了它，想把它運回羅浮宮，但這件雕像實在是太重了，法國人嘗試好幾次都沒成功，最終只能放棄。大英博物館的這件拉美西斯二世雕像，胸前有個小圓孔，據說就是當年拿破崙的手下試圖抬動它而留下的。

👑 拉美西斯二世雕像胸前的小圓孔

♛ 阿布辛貝神殿（Abu Simbel Temples）
🏛 約西元前1264年

　　後來，英國人雇用了義大利考古學家貝爾佐尼（Giovanni Belzoni），讓他想辦法把這件雕像弄到英國。貝爾佐尼特意設計了一套小型液壓系統才撬動這件雕像，隨後還雇用上百名埃及工人將雕像運到尼羅河邊，並將它搬上了船。1815年，拉美西斯二世雕像抵達倫敦，英國人終於將它收入囊中。

　　這件拉美西斯二世雕像最特別的地方其實是他的眼睛（P95），你仔細看就會發現他的眼神並非平視的，而是微微下垂。因為這件雕像實在是太大了，真人在他面前過於渺小，所以雕塑家就刻意讓法老的眼睛稍微往下看一點，營造出一種俯視眾生的感覺。

其實在埃及著名的阿布辛貝神殿門口，還有幾座巨大的拉美西斯坐像，它們足足有20公尺高，比大英博物館裡的那件雕像大了七倍多。那可是3000多年前啊，當時的古埃及人能用的工具也就是木橇、繩子、滾木等。要建造如此巨大的雕像，只有在中央集權政府的組織之下，舉全國之力才能完成。阿布辛貝神殿的這些法老雕像的建成，足以說明當時的古埃及政府運轉效率之高。

拉美西斯二世的神話IP打造

拉美西斯二世是古埃及所有法老中，最懂得如何神話自己的一位法老。他為自己所建的雕像比其他任何法老都要多，而且都無比巨大，因為他想要彰顯帝王與平民之間的差距，就如同大象和螞蟻。

另外，拉美西斯二世生平中有一場很重要的戰役，那就是和西臺（Hittite）帝國的卡迭石戰役（Battle of Kadesh）。這場仗他並沒有打贏，甚至還差點被抓了，最終雙方平局收場，拉美西斯二世還和西臺國王簽訂了人類歷史上最早的國際和平條約《埃及西臺條約》（因條約內容被鑄在銀板之上，故又稱《銀板條約》）。然而，在埃及境內，拉美西斯二世一直都宣稱他獲勝了，在很多神廟的壁畫上，你都能看見他在卡迭石戰役中奮勇殺敵、英姿颯爽的模樣。這其實也是他神話自己的一種方式，雖然這一切都是虛構的。

拉美西斯二世這種不斷神話自己的行為可是非常有效的，在他死後的幾個世紀，他在古埃及依然是神一般的存在。

♛ 在卡迭石戰役中的拉美西斯二世（Ramses II at Kadesh）
♞ 阿布辛貝神殿（Abu Simbel temple）

《拉美西斯二世雕像》：埃及法老的雕像為什麼都那麼像？

♛ 拉美西斯二世
（Ramesses II）
🐍 任期：約西元前
1279-1213年

法老的雕像為什麼長得那麼像？

在大英博物館裡，還有一件法老阿蒙霍特普三世的雕像，你只要稍微觀察就會發現，他和拉美西斯二世長得特別像，兩人的面部表情都差不多，都是杏仁眼配上微微笑的神態，給人一種安詳、恬靜的感覺。他們還都戴著象徵法老身分的假鬍子和亞麻頭巾，更神奇的是，頭巾落到肩膀的地方居然也都有褶皺。

那麼問題來了，為什麼兩位不同時代的法老會那麼像呢？

因為在古埃及人眼裡，法老不是人，而是人間的神，他們的身上都流著神聖的血液，是絕對不能外傳的，所以法老一直都會近親結婚，娶自己的姐妹甚至是女兒做老婆都是很平常的事，拉美西斯二世就曾經娶了自己的女兒。

　　法老既然被認為是神，那麼他的雕像就不需要反映自己的容貌，它要強調的是永恆。所以不管法老的真實年齡是幾歲，他的雕像永遠是年輕完美的。工匠們在製作雕像時，也不會去描繪法老的真實模樣，只會採用固定模板，這些模板的風格永遠是簡潔的，這樣做是為了消除時間的觀念，凸顯出永恆。這就是埃及法老們的雕像都很相似的原因。

　　其實，不僅僅是埃及法老的雕像，整個古埃及文明也是格外追求永恆的，這一點我們從木乃伊和金字塔就能感受得到。這是因為埃及的氣候一直都很炎熱，沒有明顯的四季更替，風景也一成不變，就是一條流經大沙漠的尼羅河川流不息，而且古埃及的政治也非常穩定，所有這些因素加起來，就導致了古埃及人格外追求永恆的心理。

♛ 大英博物館拉美西斯二世雕像復原圖

程老師敲黑板

大英博物館裡的拉美西斯二世雕像是第一件來到歐洲的巨型古埃及雕像，它徹底更新了當時歐洲人的認知，讓他們明白早在古希臘之前的幾千年，就已經有非常輝煌的古埃及文明存在了。

拉美西斯二世是一位非常懂得神話自己的法老，他為自己建造了非常多的巨型雕像，因為他想彰顯出帝王和平民之間的差距，這些巨型雕像的存在，反映出當時的古埃及政府運轉效率極高。

古埃及法老們的雕像，其實都非常像。因為在古埃及人眼裡，法老不是人，而是在人間的神，所以他們的雕像無須反映其容貌，而是需要強調永恆。工匠們在製作法老雕像的時候，都會採用那些能夠消除時間觀念、簡潔流暢的固定模板。

09

大洪水泥板

為什麼兩河流域的一塊泥板能震驚世人？

The Flood Tablet

大洪水泥板

西元前7世紀

上層3樓55號展間

兩河流域，一般也叫美索不達米亞（Mesopotamia），主要是指底格里斯河（Tigris）和幼發拉底河（Euphrates）這兩條大河之間的區域，也就是現在的伊拉克和敍利亞那一片區域。兩河流域孕育了四大文明古國之一的巴比倫，在那裡曾經還有過古代世界七大奇蹟之一的「空中花園」。

但兩河流域厲害的地方可遠不只這些，要知道人類文明的第一道曙光就是從兩河流域發出的，目前已知世界上最早的城市和文字，都是在美索不達米亞平原上發現的。

世界上最早的文字和英雄史詩

在烏爾軍旗（P70）那一篇裡我就介紹過：大約在6000年前，蘇美人來到兩河流域，他們在那裡建立起了世界上第一批城市。

城市出現了，文字就會隨之誕生，因為文字最初就是行政系統的產物。你想啊，政府想要管理好人民可是需要各種行政程序的，那就意味著一切都要成文，這些都離不開文字。

兩河流域人民所創造出來的文字叫「楔形文字」，這是目前已知世界上最早的文字。楔形文字基本上都是刻在泥板，因為兩河流域除了土地肥沃，其他資源都比較匱乏。他們不像我們有竹簡或絲絹之類的材質，美索不達米亞平原上除了泥土還是泥土，但兩河流域人民真的很聰明，他們先將字刻寫在濕潤的泥板上，隨後再將它們曬乾，這樣文字就被固定在泥板上，變成了一塊塊文字泥板。

這些文字泥板曬乾後非常堅硬，不易變形，所以相當大的一部分都好好地保留到了今天，這也就是為什麼現在的我們能對幾千年前的美索不達米亞歷史瞭解得那麼清楚。

大概在西元前3000年，楔形文字系統就已經相當完善，隨之而來的便是律法、科學、天文學等各個領域的蓬勃發展，因為這些都需要建立在完善的文字系統之上。最後，文字的最高形式「文學」也出現了。目前已知世界最古老的英雄

♔ 楔形文字泥板（Tablette Cunéiforme）
♙ 約西元前2500年
♞ 巴黎羅浮宮（Louvre, Paris）

史詩《吉爾伽美什史詩》（*Epic of Gilgamesh*）就是兩河流域的文學巨作，它大概在西元前2100年就已經被寫出來了。

《大洪水泥板》：為什麼兩河流域的一塊泥板能震驚世人？

「大洪水」只存在於《聖經》裡嗎？

在大英博物館裡有一塊很有名的大洪水泥板，這塊楔形文字泥板上的內容其實是《吉爾伽美什史詩》裡的一個篇章，主要記錄了一次大洪水的故事：神告訴一個男人，一場大洪水將席捲整個地球，它會抹去所有人類生存的痕跡，所以神讓他趕緊修建一艘大船，把家人、各種動物以及鳥類都放到這艘船上來躲避大洪水。

如果你瞭解《聖經》裡的諾亞方舟，那你就會發現這個故事幾乎和諾亞方舟的故事一模一樣。更可怕的是，這塊大洪水泥板的創作時間比《聖經》還要早400年！所以你應該能想像，當考古學家在19世紀將這塊大洪水泥板挖掘出來，並且將它的內容破譯之後，對當時的基督教會是多麼大的一個衝擊。

大家都開始懷疑：《聖經》裡的故事都是真的嗎？《聖經》會不會就像《吉爾伽美什史詩》一樣就是個神話故事？這塊大洪水泥板真的衝擊了當時人們對基督教會的認識。

其實在兩河流域或者古埃及的早期文明中，除了《古爾伽美什史詩》，還有很多其他的史詩神話中也都有類似大洪水的故事。因此後人推測猶太人所寫的《聖經・舊約》並不是百分之百原創的，它更多的是對當時中東地區居民生活的記錄，還有他們口耳相傳的史詩故事，大英博物館的這塊大洪水泥板就是最好的證明。

如果從另一個角度去看，我們就會發現當文學誕生後，文字就不僅僅只是記錄事實的手段，它還具有探求思想的作用。文字會開闊人的想像，會給人的精神世界帶來指數級的發展，但另外一方面，用文字記載的歷史就沒那麼真實了，它可以被記錄，但也可以被創造或者篡改，《聖經》和那些古老的史詩就是這樣被寫出來的。

♛ 大洪水泥板（The Flood Tablet）

☖ 西元前7世紀，長15.24公分，寬13.33公分

♞ 上層3樓55號展間（Upper floor, Level 3, Room 55）

《大洪水泥板》：為什麼兩河流域的一塊泥板能震驚世人？

👑 金星的天文觀測記錄（Venus Tablet of Ammisaduqa）

🐎 亞述巴尼拔圖書館

The first library to contain all knowledge

👑 大英博物館收藏的亞述巴尼拔圖書館（Library of Ashurbanipal）文物
👤 西元前7世紀

世界上最早的圖書館

　　大英博物館收藏的這塊大洪水泥板，實際上來自一個規模龐大的圖書館，那就是西元前7世紀亞述巴尼拔在尼尼微所建的圖書館。那是目前所知的全世界第一座圖書館，比著名的亞歷山大圖書館還要早了近300年。

　　亞述巴尼拔是兩河流域上亞述帝國的統治者，在亞述獵獅浮雕（P48）那一篇裡就已經介紹過他。在亞述巴尼拔統治時期，亞述帝國的疆域達到巔峰，當時帝國的首都尼尼微，不僅是政治和經濟中心，也是文化、科學和藝術的中心。

　　亞述巴尼拔雖然生性殘忍，一直以武力治國，但他同時也是一位有教養的知識分子，非常喜歡讀書和收藏書，所以他才會在尼尼微建造了全世界第一座圖書館。亞述巴尼拔圖書館藏書量非常大，有3萬多本書，當然也都是文字泥板的形式。更神奇的是，這座圖書館還有著非常棒的分類檢索系統，當時的人一走進圖書館，就可以輕而易舉地找到自己想看的書。

《大洪水泥板》：為什麼兩河流域的一塊泥板能震驚世人？

♟ 1849年，英國著名考古學家萊亞德在尼尼微遺址
發現了亞述巴尼拔圖書館

最寶貴的歷史資料2500年後重見光明

　　亞述巴尼拔圖書館的藏書涉及領域非常廣，包含了醫學、哲學、天文學、數學等，代表了兩河流域當時整體的知識水準。英國著名作家赫伯特·喬治·威爾斯（H. G. Wells）將這座圖書館稱為「世界上最寶貴的歷史資料來源」。亞述巴尼拔的這座圖書館對早期的兩河文明保存是非常重要的，如果沒有它的話，兩河文明的記錄很有可能就出現斷層了。

　　亞述巴尼拔死後，亞述帝國便走向衰亡，這座圖書館也隨之被掩埋在地底下，這一埋就是2500多年。一直到1849年，英國著名考古學家萊亞德（Austen Henry Layard）在尼尼微遺址考古時才讓這座圖書館重見天日。目前，亞述巴尼拔圖書館裡的大部分文字泥板都被收藏於大英博物館中。

程老師敲黑板

- - - - - - - - -

🔍 　　目前已知的世界上最早的文字，是兩河流域的楔形文字。當時的兩河流域人民，將字刻在濕潤的泥土板上，隨後將它們曬乾，就這樣形成了一塊塊文字泥板。

🔍 　　大英博物館的大洪水泥板，是《吉爾伽美什史詩》裡的一個篇章，它記錄的是一個大洪水的故事，和《聖經》裡的諾亞方舟故事非常相似。而且大洪水泥板的創作時間比《聖經》還要早400年，這一發現對基督教形成了一個致命打擊。

🔍 　　兩河流域或者古埃及的早期文明中，很多史詩神話中都有類似於大洪水的故事，因此猶太人所寫的《聖經·舊約》，它並不是百分之百原創的，更多的是對當時中東地區居民們生活的記錄，以及他們口耳相傳的那些史詩故事的總結。

10

舞王濕婆

印度人為什麼那麼愛跳舞？

Shiva Nataraja

舞王濕婆

12世紀

主層1樓33號展間

👑 舞王濕婆（Shiva as the Lord of Dance）
🧍 約 950 年
🐎 洛杉磯藝術博物館（Los Angeles County Museum of Art）

流傳最廣泛的印度形象

說起印度，大部分人最先想到的關鍵詞都是泰姬瑪哈陵或者影星阿米爾汗，但在我腦袋裡第一個跳出來的必然是舞王濕婆。因為這件雕塑實在太會刷存在感了，幾乎全世界各個大型博物館裡都能看見它，舞王濕婆幾乎成了印度文明的象徵。

濕婆雖然是印度教的三大主神之一，但印度教裡的神仙可是有近上萬個，為什麼偏偏是這跳舞濕婆的形象流傳得最為廣泛呢？

這主要是因為在這件雕塑裡，涵蓋了非常多哲學、宗教、神話的元素，所以單從這一件作品就能傳遞出很多印度文化的精髓。

♛ 舞王濕婆（Shiva Nataraja）
♟ 12世紀，高89.5公分
♞ 主層1樓33號展間（Ground floor, Level 1, Room 33）

一件作品看見印度文化精髓

現在我就用大英博物館裡的這尊舞王濕婆像，來為你解讀一下濕婆跳舞的祕密……

古印度人認為，濕婆是在跳舞中完成宇宙的誕生和毀滅的，所以舞王濕婆從某種程度上來說代表著古印度人對宇宙的深刻理解。2004年，印度政府特意送了一尊舞王濕婆的雕像給歐洲核子研究中心（CERN），這其實非常有象徵意義，因為舞王濕婆代表的是古印度人的宇宙觀，而CERN則是現代人研究宇宙最前線的地方，兩者還是很有關聯的。

♟ 舞王濕婆局部：惡魔阿帕薩馬拉普

　　前面說了，濕婆是跳著舞完成宇宙誕生和毀滅的，因此他也被封為「舞王之神」。濕婆絕對是印度舞的鼻祖，現在的印度人那麼喜歡跳舞，其實有非常大的宗教淵源。

印度教：在變化中永恆

　　一般在宗教裡，神的形象都非常嚴肅，但舞王濕婆就很不一樣。比如大英博物館收藏的這件雕像，濕婆的頭髮和衣帶完全散開，正在火焰圈裡翩翩起舞，舞姿的那種動態美，被工匠刻畫得淋漓盡致。就連法國著名雕塑家羅丹（Rodin）都說，舞王濕婆是「運動」在藝術中最完美的體現。

♟ 舞王濕婆背面

　　你仔細看濕婆的腳，他正踩著一個小胖子，這個胖子就是惡魔阿帕薩馬拉普
（Apasamarapurusa），它象徵的是無知。這個胖子是真的無知到認為自己是全
宇宙第一，跑去和濕婆單挑，濕婆本想一掌拍死它，但轉念一想，不能殺。因為
只有無知存在著，真理和智慧才顯得有意義，如果你把它殺了，那麼這世上便再
無真理了。所以，濕婆最終選擇將它踩在腳下，這樣惡魔就無法猖狂，同時也維
持了無知和真理之間的動態平衡。

《舞王濕婆》：印度人為什麼那麼愛跳舞？

其實從小惡魔身上你就能看出印度教的特別之處，即它並非一種非黑即白的宗教，它很講究動態的平衡，試圖在變化中達到一種永恆的狀態。

業念輪迴難以翻轉階級思維

舞王濕婆是在一個火焰圈裡翩翩起舞的，這個火焰圈象徵的是宇宙從誕生到毀滅的輪迴，而印度教中一個非常重要的思想，也正是「業念輪迴」。

這世界上無論是哪一種宗教，都會面臨著信徒們的一個巨大疑問，那就是：人生為什麼那麼苦，而神為什麼不拯救我們？

基督教給出的答案是「原罪」，即由於人類祖先亞當和夏娃偷吃了禁果，導致全人類都沾染了原罪，所以

♛ 《亞當和夏娃偷吃禁果》（Adam und Eva im Paradies）
👤 老盧卡斯·克拉納赫（Lucas Cranach der Ältere,1472-1553），作於 1533 年
🐎 柏林畫廊博物館（Gemäldegalerie）

人生才會那麼苦，因為我們都有罪。但是上帝並沒有不管你，祂派出了自己的親生兒子耶穌下凡人間，讓他釘死在十字架上，為的就是洗刷全人類的罪惡。而印度教在解釋這個問題的時候，用的就是「業念輪迴」，即你的人生那麼苦，是因為上一世你作的孽太多，所以這一世你必須還，唯有這樣，你的下一世才能有更好的命。其實「輪迴」的思想在很多宗教裡都會有，但在印度教裡它卻是無敵的存在，因為它讓印度的種姓制度變得堅不可摧。

印度的種姓制度已經存在3000多年，它將人大致分成四個等級，堪稱人類等級制度之最。如今印度在法律上已將種姓制度廢除了，但它在現代印度人的心裡還是有著強大的影響力，究其根本原因，還是在於印度教的「業念輪迴」。

印度教徒深信：種姓的劃分是由前世的輪迴所決定，而這一生要做的，就是完成你這個種姓之內的事，唯有這樣，你的來世才能去往更高的種姓階層。這是一個多麼完美的閉環，社會階層的劃分被宗教強有力地加持了，普通人想往上層攀爬的慾望，被徹底禁錮在了「輪迴」的思想中。

在印度，最底層的人被稱為「不可接觸者」，他們會被周圍所有人詛咒和唾棄，就連看他們一眼，大家都會覺得不吉利。這些人顯然是過著生不如死的生活，但他們也深信這是自己必須要承受的，因為他們上輩子做了太多壞事，這也就是為什麼在歷史上，印度底層人民很少會聯合起來去反抗的原因。

我們再回過頭來看舞王濕婆這件雕塑，濕婆的眼睛是睜開的，那意味著他正注視著這個世界，所以他跳的舞是「創世之舞」。如果濕婆把雙眼完全閉上的話，那他跳的就是「毀滅之舞」，那時全世界都會陷入恐慌，就連最血腥的迦梨（Kali）女神都會受不了。她會拼命地去踹濕婆，想要喚醒他，讓他去睜眼看看這個即將被他毀滅的世界。

🏺 迦梨女神試圖喚醒濕婆

《舞王濕婆》：印度人為什麼那麼愛跳舞？

♛ 舞王濕婆局部

♛ 瞇著眼的濕婆雕像
🐚 印度朝聖地瑞詩凱詩
（Rishikesh, India）

那麼平時的濕婆，眼睛是睜著還是閉著呢？見左頁上圖，其實是位於兩者之間，也就是瞇著眼，濕婆不想創造，也不想毀滅世界，他對這個世界根本就沒太大興趣，只想靜靜地在雪山上修行。但有時，我真的希望他可以像舞王濕婆雕像裡那樣，睜大他的雙眼，去關照一下那些正在他土地上飽受煎熬的「不可接觸者」。

♛ 左：左手持著的火焰
　右：右手拿著的手鼓
　下：無畏印和象鼻印

手勢背後的含義

這件舞王濕婆雕像，你仔細看就會發現濕婆其實有四條手臂，我們先來看他後面的兩條手臂：右邊的那隻手拿著一個手鼓，它是宇宙律動的節奏，象徵著「創世」；左手持著一團火焰，象徵著「滅世」。濕婆後面的這兩條手臂在強調，他是集「創世和滅世」於一身的大神，很分裂，很不好惹。

再來看他前面的兩條手臂，它們擺出了兩個手印（見上圖），手掌向上的那個是無畏印，手掌向下的是象鼻印，這兩個手印最後都被佛教借鑒去了。

👑 印度奧里薩邦盛大的濕婆節慶典

程老師敲黑板

舞王濕婆是印度文明的象徵，因為古印度人認為，濕婆是在跳舞中完成宇宙的誕生和毀滅，它代表的是古印度人的宇宙觀。

一般在宗教裡，神的形象都是非常嚴肅的，但舞王濕婆雕像卻很不一樣，它描繪的是濕婆跳舞的動態美，這從側面反映出印度教一個很大的特點，那就是在變化中尋求一種永恆的狀態。

舞王濕婆雕像裡，濕婆是在一個火焰圈裡翩翩起舞的，這個火焰圈象徵的是宇宙從誕生到毀滅的輪迴，這反映出印度教的一個核心思想，那就是「業念輪迴」。而這個思想大大加固了印度的種姓制度，讓它變得堅不可摧，經過了3000多年還依然無法被消滅。

11

大衛對瓶

為什麼中國的元青花瓷那麼珍貴？

The David Vases

大衛對瓶

西元1351年

主層2樓95號展間

全歐洲貴族為之瘋狂

瓷器是中國古代最偉大的發明之一，也一直是中國文化的象徵，英語裡的「china」其實就是瓷器的意思。

中國在東漢時期就已經製作出成熟的瓷器，但歐洲一直到18世紀才成功製作出了瓷器，晚了近1700年。由於歐洲人造不出瓷器，但又非常喜歡，所以大部分歐洲貴族都會一擲千金地瘋狂採購。比如太陽王路易十四，他曾經要把自己的金銀餐具都給熔了，為的就是湊錢去買中國的瓷器。還有薩克森國王奧古斯都二世

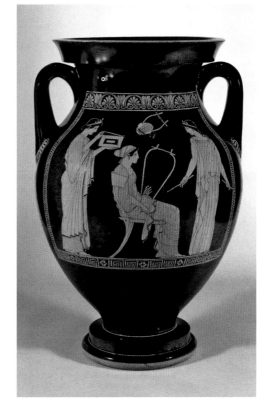

♛ 古希臘陶器
👤 約西元前450年

（Augustus II the Strong），他居然瘋狂到用600名士兵去交換151件景德鎮的青花瓷，以至於當時他的大臣說：「瓷器，是令薩克森流血的碗。」

「陶」和「瓷」的區別

我們一直說陶瓷陶瓷，但實際上陶和瓷是完全不一樣的東西，陶的製造工藝非常簡單：弄一些黏土捏個形狀，放在火裡燒一下就成了。全世界各種文明裡幾乎都有陶器，但瓷器卻是中國獨有的。

♛ 龍泉窯瓷器

　　瓷和陶最不同的地方就在於材料，陶器用的是黏土，而瓷器用的是瓷土。瓷土可不像黏土滿大街都是，它是很稀有的，中國最有名的瓷土就是景德鎮的高嶺土。瓷土最大的特點是含鐵量低，這能讓瓷器承受住1200℃以上的高溫燒製。陶器就完全不行，因為黏土的含鐵量高，燒製過程中會產生大量的氧化鐵，它是強助熔劑，到了1000℃就能把陶器給熔化了。而瓷器之所以要用高溫燒製，主要是為了讓它的質地更堅硬，同時也讓它的顏色更通透、漂亮。

　　瓷器的另一大特點就是它表面覆蓋的那層釉。釉的質地很像玻璃，有防水的作用，同時它也能讓瓷器變得更光滑透亮。另外，釉還給瓷器色彩的變化增加了無限的可能性。

瓷土和釉這兩樣材料都不是中國的專利，在其他國家也有，但唯獨中國人創造出了瓷器，這是為什麼呢？

　　這主要是因為中國人很喜歡「玉」，但玉石太稀少了，加工起來也很難，而瓷器的堅硬質地，以及它那美麗的釉光澤，這些都和玉的特性很像。更重要的是，瓷器比玉便宜很多，所以它才會那麼招古人喜歡，中國古代的瓷器產業也因此而繁榮。

♛ 阿富汗赫拉特清真大寺（Great Mosque of Herat, Afghanistan）

罕見的元青花

　　青花瓷是中國瓷器最主流的一個品種，但很多人不知道，它最初的興起並非源於中國人的傳統審美，而是穆斯林的。因為藍色是伊斯蘭教的主色調，他們好多清真寺都是藍頂的，穆斯林還特別喜歡用藍色去描繪那些繁複的紋飾。

　　在元朝，有超過100萬的穆斯林在中國經商，是他們最先向景德鎮訂製了青花瓷，並且大都帶回了自己的國家，當時的中國人可是不喜歡青花瓷的。這也就是為什麼元朝的青花瓷倖存下來的非常少，總共不超過300件，而且大部分都在伊斯蘭國家。其中，伊斯坦堡的托普卡帕宮（Topkapı Sarayı）收藏量排第一（擁有40件），伊朗國家博物館收藏量排第二（擁有32件）。

👑 托普卡帕宮所收藏的青花瓷

明青花瓷成主流

　　在中國，青花瓷的真正逆襲其實是在明朝朱元璋的手上。明洪武二年（西元1369年），朱元璋第一次將青花瓷選入了皇家的祭祀用品，讓它一下子變成了皇家的御用之物。就這樣，青花瓷慢慢地變成了中國瓷器的中流砥柱，而且這個江湖老大的地位一直延續了近200年。

♔ 明朝青花瓷

♔ 大衛對瓶（The David Vases）
🏛 西元1351年，高63公分
🏺 主層2樓95號展間（Ground floor, Level 2, Room 95）

　　在中國古代的史籍上，對於明朝青花瓷的記錄非常多，但對元青花卻幾乎沒有任何記載，原因應該就是前面說的：在元朝，青花瓷都是出口外銷的，在國內並不流行。其實，一直到1950年代，中國人也一直認為元朝是沒有青花瓷的，是現存於大英博物館的大衛對瓶出現，才更新了這個認知，它證明了在元代，優質的青花瓷就已經存在。

關鍵題字洩證據

　　大衛對瓶的體型很大，每一個都有半公尺多高，瓶子上有龍形的花紋，瓶子的把手還特別設計成了大象的模樣。最關鍵的是，瓶身上還有一段非常清晰的題字：

　　「信州路玉山縣順城鄉德教里荊塘社奉聖弟子張文進喜捨香爐花瓶一付祈保合家清吉子女平安至正十一年四月良辰謹記星源祖殿胡淨一元帥打供。」

　　大致意思是：至正十一年（西元1351年），信州路玉山縣（現江西省上饒市）一個叫張文進的人，委託燒製了這對花瓶，現將它們供在寺廟裡，希望能保家宅平安。

　　這段題字裡，最關鍵的就是「至正十一年」這五個字，因為那是元惠宗孛兒只斤・妥懽帖睦爾的年號，所以是能很容易判斷出這對花瓶是元朝的器物。只是當時民國的古董商一致認為這對瓶子是贗品，一方面是當時的人深信元朝沒有青花瓷，另一方面是這對花瓶有缺陷，瓶身有點歪，並不像是上等的貢品。

👑 珀西瓦爾 · 大衛爵士
（Percival David, 1892-1964）

改寫中國陶瓷歷史

　　但來自英國的大衛爵士就很有眼光，大約在1935年的時候，他將大衛對瓶買了下來並且帶回英國。其實大衛爵士之所以會買下這對花瓶，倒也不是確信它就是元青花，只是他非常喜歡中國的瓷器，尤其是這對花瓶特別討他喜歡，所以即便瓶身有點歪，他也覺得可以接受。

　　但自從大衛對瓶到了英國之後，就引起了古陶瓷學者霍布森（Robert Lockhart Hobson）的注意。他在1929年發表了論文《明以前的青花瓷》，在文章裡第一次將這對花瓶斷定為元代的器物。隨後在1952年，美國的波普博士（John Alexander Pope）也發表了好幾篇論文，將大衛對瓶和土耳其及伊朗國家博物館所收藏的幾十件青花瓷對比之後，鑒定它就是元青花。

👑 威治伍德茶壺瓷器

🧍 約1840年

　　從那時起，大衛對瓶就改寫了整個中國陶瓷的歷史，它也成為後人判斷元青花的一個標準，被稱為「斷代標準器」。前面說過，元青花留存到現世的極少，大衛對瓶又是一件那麼大型的器物，隨後還成了「斷代器」，它的價值可想而知，大衛對瓶可以說是全世界最著名的青花瓷。

中國瓷器的衰敗

　　其實從這對大衛對瓶上，我們能看出當時中國瓷器的衰敗，因為我們沒有科學系統地去判斷這對花瓶是否為元青花，僅憑古董商人的肉眼怎麼行呢？

在中國，製作瓷器一直被認為是一門手工藝行業，即便瓷器的工藝已經被細分成72道工序，但那也依然是手工藝，它沒有得到系統的研發開創，傳承模式也一直是師父帶徒弟。但事實上，瓷器絕不僅是一門手工藝，它更是一項高科技行業，材料的認知、火候的掌握以及釉的配方等，這些其實都屬於現代理工科的範疇。

1709年，歐洲人燒製出了第一件屬於他們的瓷器，論工藝和精美程度，他們肯定不如我們，但是歐洲有工業革命，當瓷器搭上工業革命這輛快車，成本就會飛速下降。到了18世紀末，在英國你只要花一個先令，就可以買一件精美瓷盤。世界瓷器業的格局因此發生了重大改變，但中國卻毫不知情。

1792年，英國國王曾派出一個近700人的使團前往中國，希望與中國建立平等的貿易往來，但乾隆把他們的所有要求通通拒絕了，他覺得英國就是一個西方蠻夷小國，我為什麼要和你有生意來往？英國人所帶來的禮品乾隆也沒什麼興趣，直接扔進倉庫了，只能說乾隆真的沒有文化包容之心，如果他有，他就會發現在所有的禮品裡，有一樣東西極不尋常，那就是英國的威治伍德（Wedgwood）瓷器，那是西方在瘋狂追趕中國的一個巨大信號。

程老師敲黑板

瓷器是中國古代最偉大的發明之一，也一直是中國文化的象徵，歐洲到了18世紀才成功製作出屬於他們的瓷器，晚了近1700年。

青花瓷是中國瓷器中最主流的一個品種，但它的興起卻是源於穆斯林的審美。在元朝，很多穆斯林商人都會在景德鎮訂製青花瓷，但中國人卻不喜歡，這也就是為什麼元朝的青花瓷倖存下來的非常少，而且大部分都在伊斯蘭國家。

在中國的古籍裡，幾乎沒有對元青花的介紹，所以中國人一直誤以為元朝是沒有青花瓷的，一直到大衛對瓶的出現才更正了這個錯誤認知，它證明在元代，優質的青花瓷早已存在，中國的陶瓷史被徹底改寫了。

12

奧克瑟斯雙輪戰車模型

史上第一個多民族融合的大帝國波斯，
統治者是如何管理國家的？

奧克瑟斯雙輪戰車模型

西元前400年

上層3樓52號展間

波斯：人類帝國的始祖

波斯帝國，也就是現代伊朗的前身，它可是世界歷史上第一個橫跨歐亞非三大洲、多民族融合的大帝國。波斯帝國在巔峰時期，疆域橫跨5000多公里，從東面的帕米爾高原一直延伸到西面的利比亞海岸。而那個時候，希臘不過還是一群小城邦，羅馬人在哪裡也搞不清楚，中國則是處在春秋爭霸時期。

波斯帝國的人口數量曾一度達到2500萬，約佔當時世界人口的23%。這些人來自很多不同的民族，他們說著不同的語言，信仰著不同的神明，但他們卻能和平相處，所以在西方人眼裡，波斯才是人類帝國的始祖，因為它不僅做到了疆域廣大，也做到了對多元文化的包容。

大英博物館裡收藏有一件奧克瑟斯雙輪戰車模型，它是波斯最強大時期的阿契美尼德王朝（約西元前550-330年）所遺存下來的珍寶。透過這件文物，我們可以穿梭到2500年前的波斯，瞭解當時的統治者是如何治理一個龐大的多民族國家。

從珍寶看波斯如何治理帝國

這件精緻的黃金戰車模型，大約是在1877年，在塔吉克斯坦（Tajikistan）阿姆河的北岸被當地居民發現的。其實和它一起出土的還有其他很多金屬製品，當地居民本來是想將它們熔化了拿去賣錢，但英國考古學家亞歷山大‧康寧漢（Alexander Cunningham）非常有眼光地將絕大部分都買了下來。其中包括近180件金銀器以及200多枚硬幣，是波斯的阿契美尼德王朝遺留下來最重要的金銀製品，也被後人稱為「奧克瑟斯寶藏」。目前，這批珍寶都收藏於大英博物館中。

👑 奧克瑟斯寶藏（Oxus Treasure）

🗿 約西元前550-330年

波斯帝國多元文化的包容性

奧克瑟斯雙輪戰車模型是這批寶藏中最珍貴的一件，它非常迷你，只有7.5公分那麼高，但模型上的每一個部件，你都能看得一清二楚：這輛戰車是由四匹馬拉著的，車上還有兩個人，一個人站著，那是馬伕；另一個人坐著，那應該是馬伕的主人。

你如果仔細看戰車的前方，就會發現那上面印了一個頭像，那其實是古埃及的神靈貝斯（Bes）。在古埃及文化中，貝斯是專門保佑長途旅行者，波斯人顯然是將它直接借鑒過來了。另外，馬車上這兩人的穿著也並非波斯人，而是米底（Medes）人，據說當時的波斯人都喜歡這樣穿，因為會顯得更帥氣。

♛ 戰車前方印著古埃及神靈貝斯的頭像

《奧克瑟斯雙輪戰車模型》：史上第一個多民族融合的大帝國波斯，統治者是如何管理國家的？

♔ 居魯士圓柱（The Cyrus Cylinder）

♙ 西元前539-530年

♞ 上層3樓52號展間（Upper floor, Level 3, Room 52）

全世界第一份人權宣言

　　古埃及和米底這兩個國家，都被當時的波斯帝國給佔領了，但波斯人很尊重他們的宗教和習俗，甚至還會將他們文化中的某些元素引入自己的文化之中，這件奧克瑟斯雙輪戰車模型就是最好的證明。

　　波斯帝國之所以能如此包容多元文化，和阿契美尼德王朝的開創者居魯士大帝有很大的關係。據説每當居魯士大帝征服一個新的地區，他所做的第一件事就是去祭拜當地的神廟，以此來顯示他對當地宗教信仰的尊重。另外，居魯士大帝也允許那些被他征服的國家居民繼續講自己的語言，保留自己的生活方式，地方的管理者也是由當地人來擔任，而非波斯人。

居魯士大帝的這種寬容政策，表現得最為明顯的就是在西元前539年，他攻佔了新巴比倫後，立刻就釋放了被囚禁在巴比倫的猶太人，也是因為這一點，居魯士大帝在猶太人所寫的《舊約》中被封為聖人。

居魯士大帝將自己對巴比倫所採取的這些寬容政策都記錄在一個圓柱上，它就是鼎鼎有名的居魯士圓柱，目前也被收藏在大英博物館。作為歷史文獻，居魯士圓柱記載了他攻下新巴比倫和釋放猶太人的過程，但更重要的是，居魯士圓柱同時也是一份人權文件，因為它倡導了自由和人道主義。伊朗人也因此將這個圓柱稱為「全世界第一份人權宣言」，這個說法目前是得到普遍認同的，因為在紐約的聯合國總部，就存放著一個居魯士圓柱的複製品。

人類史上第一條長途公路

我們再回過頭來看這件奧克瑟斯雙輪戰車模型，它還有一點很特別，那就是戰車的輪子非常大，這其實是為了長途旅行而特別配備的。

波斯作為一個疆域龐大的帝國，必須擁有大規模的陸路系統，一方面是方便貨物運輸，另一方面是為了快捷的通信，因為帝國越大，訊息傳遞的速度就要越快。否則，中央下達個命令，等它慢慢傳到地方的時候，情況說不定已經和之前大不相同，那這個命令的時效性也就喪失了。所以波斯人真的是非常瘋狂地修建道路，而人類史上最早的郵政系統，也是在那個時候誕生的。

在大流士一世統治時期（約西元前522-486年），他下令修建了波斯御道。這條道路被後人稱為人類史上第一條長途公路，它開始於波斯的首都蘇薩（Susa），一直通到現位於土耳其沿海的薩迪斯（Sardis）。

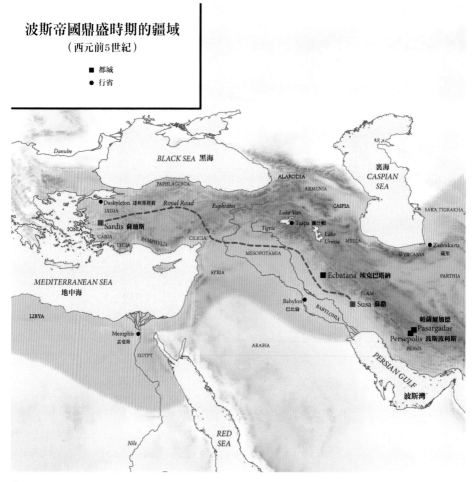

波斯帝國鼎盛時期的疆域
（西元前5世紀）

■ 都城
● 行省

👑 波斯御道，人類史上第一條長途公路

　　在這條御道上，波斯信差可以在九天內走過近2700公里的路，這在當時真的是匪夷所思，就連古希臘的歷史學家希羅多德都說：「這個世界上再沒什麼東西比那些波斯信差走得更快了。」其實後來羅馬人修建道路的時候，他們所借鑒的就是波斯人的建造方式，這才有了我們所說的「條條大路通羅馬」。

👑 阿契美尼德王朝都城波斯波利斯（Persepolis）遺址

🐎 伊朗境內

《奧克瑟斯雙輪戰車模型》：史上第一個多民族融合的大帝國波斯，統治者是如何管理國家的？

波斯的行省制度

　　在這輛奧克瑟斯雙輪戰車上，坐著的那位主人佩戴著頭飾，這其實象徵著他的身分，後人推測他極有可能是一位波斯總督，而他之所以會長途旅行，應該是正趕去地方赴任。

　　在阿契美尼德王朝時期，波斯帝國的疆域被劃分成很多行省，每個行省都有很高的自治權，可以制定屬於自己的地方性政策。但同時，波斯帝國也會給每個行省派去一位總督，而他就是代表國家來發揮監督作用。

　　這其實是一個很不錯的管理策略，因為這樣一來，波斯就在維護帝國權威和地方自主發展這兩件事上達到了平衡，所以它才能發展成為一個跨越不同民族和文明的巨型帝國。波斯人的這種行省制度，在後來也深深影響了古羅馬帝國。

　　波斯最輝煌的阿契美尼德王朝，是在西元前4世紀時被亞歷山大大帝滅掉的，在那之後，波斯帝國再也沒能重現昔日的輝煌，它長期被外族統治，也發生過很多次內戰，最終才慢慢演變成了現在的伊朗。

HELLO'

程老師敲黑板

　　波斯帝國是世界歷史上第一個橫跨歐亞非三大洲、多民族融合的大帝國，對於西方人而言，波斯才是人類帝國的始祖，因為它不僅做到了疆域廣大，也做到了對多元文化的包容，大英博物館收藏的這件奧克瑟斯雙輪戰車模型就是最好的證明。

　　波斯帝國之所以能如此包容多元文化，和居魯士大帝有很大的關係。比如西元前539年，當居魯士大帝攻佔了新巴比倫後，他立刻就釋放了被囚禁在巴比倫的猶太人，也是因為這點，居魯士在猶太人所寫的《舊約》中被封為聖人。

　　波斯作為一個疆域龐大的帝國，它擁有極大規模的陸路系統，比如大流士一世下令所修建的「波斯御道」，可以讓信差在九天內走過近2700公里的路，在當時簡直是匪夷所思，它也因此被後人稱為人類史上第一條長途公路。

13

奧古斯都頭像

為什麼古羅馬皇帝的雕像，會身首異處？

Head of Augustus

奧古斯都頭像

約西元前27年

上層3樓第70號展間

歐洲帝王的羅馬夢

古羅馬帝國真的是歐洲所有帝王心中的夢，拿破崙就曾拼命地想要在法國建一個全新的羅馬帝國，他唯一的兒子也被取名為羅馬王。另外，德意志的腓特烈一世（Friedrich I）也堅持要將他的國家稱為神聖羅馬帝國，那麼問題來了，為什麼這些偉人都對古羅馬那麼執著呢？

這是因為在西方文明中，只有古羅馬算得上是一個大一統的國家，古羅馬國力最鼎盛的時候，疆域橫跨歐亞非三大洲，地中海就是它的內湖。這樣一個統一的大帝國，在中國人眼裡很普通，但在歐洲真的是很罕見。除了古羅馬時期，歐洲在其他時間裡基本上都是四分五裂的。

作為一個龐大帝國統治者，古羅馬的皇帝們非常喜歡為自己建雕像，其中又數屋大維（Octavius）的雕像最多。這位皇帝如此愛刷存在感並不是因為他自戀，主要還是因為他是古羅馬的第一位帝王，形象工程必須要做到位。

古羅馬第一位帝王的形象工程

屋大維這一生雖然都沒有稱帝，但元老院依然賜予了他「奧古斯都」的封號，象徵著神聖守護者。所以可以這樣說，是屋大維結束了古羅馬近500年的共和國歷史，開啟了帝國時代。

而且屋大維也是一位非常厲害的帝王，是他結束古羅馬帝國長期的內亂，開啟了近200年的和平時期。

作為一個從共和走向帝制的皇帝，奧古斯都（屋大維）就不得不神話自己。因為他必須讓人民感受到他是無所不能的，只有他才能帶給這個國家和平與強盛，所以奧古斯都才會製作了這麼多的雕像，將它們放在公共場所供世人瞻仰。

♛ 第一門的奧古斯都像（Augustus of Prima Porta）
🏛 西元1世紀複製品
🐎 羅馬梵蒂岡博物館（Vatican Museums, Rome）

《奧古斯都頭像》：為什麼古羅馬皇帝的雕像，會身首異處？

👑 奧古斯都頭像（Head of Augustus）

🧍 約西元前27年，高46公分

🐎 上層3樓第70號展間（Upper floor, Level 3, Room 70）

　　在大英博物館裡，也有一件極其珍貴的奧古斯都青銅頭像。目前所流傳下來的奧古斯都雕像基本上都是用大理石製作的，很少有青銅材質，因為在古代一旦打仗，青銅雕像就會被拿去熔掉做武器了。

　　大英博物館收藏的這件青銅頭像，最特別的地方就在於它並非在古羅馬境內被發現，而是在非洲蘇丹的麥羅埃古城（Meroë）裡被挖掘出來的，這件頭像在那裡被埋了1900多年。

♛ 奧古斯都頭像側面

身首異處的帝王頭像

　　1910年，英國考古學家加斯頓（John Garstang）在麥羅埃古城遺址進行考古活動時，在一座神廟的台階下無意間挖到了這件奧古斯都頭像。當時所有人都驚呆了，因為麥羅埃從來都不是古羅馬的地盤，在古代這裡可是庫施（Kush）王國的首都。那麼問題來了，古羅馬皇帝的頭像，怎麼會被埋在這裡呢？

這件事就要從古埃及説起了。大約在西元前31年的時候，奧古斯都成功佔領了埃及，從那時起，埃及就變成羅馬帝國的一個行省。奧古斯都在整個埃及境內擺放了很多他的雕像，以此來樹立他的帝王權威，這件青銅頭像便是其中之一。

古埃及和庫施王國的關係一向都不太好，即便在羅馬掌管埃及之後，兩國的關係也沒有太大的改善。西元前25年，庫施又和埃及打了起來，庫施還成功入侵埃及的南部城市。為了炫耀，他們決定把這件奧古斯都青銅雕像作為戰利品扛回去，但因為雕像的體積太大，僅頭部就有近半公尺高，要搬走整座雕像實在是太費力了。於是庫施人就很野蠻地把奧古斯都的頭從雕像上砍下來，只把頭像帶回了首都麥羅埃。

這件奧古斯都頭像被帶回去之後，庫施人就將它埋在神廟的台階之下，這樣一來，每一個進入神廟的人，都會將羅馬皇帝踩在自己的腳下，這是庫施人羞辱奧古斯都的方式。

歷史一再重複上演

我總會想，要是奧古斯都知道自己的頭像會被這樣摧殘，肯定會氣得發瘋，然而也正因如此，這件青銅頭像一直被埋在炎熱乾燥的沙子底下，所以被保存得非常好。不信你去看這件頭像的眼睛，雖然1900多年過去了，但你依然可以清楚地看見它那用玻璃做的瞳孔，還有方解石做的眼白。

1991年，第一次波斯灣戰爭後，伊拉克人在巴格達一家著名酒店入口的地板上，鋪上一幅當時美國總統布希的馬賽克畫像，因此所有走進酒店的人，也都會將美國總統踩在腳下，這和2000年前庫施人對待奧古斯都的方式如出一轍。歷史啊，有時候就是這麼諷刺！

♛ 奧古斯都頭像局部

《奧古斯都頭像》：為什麼古羅馬皇帝的雕像，會身首異處？

羅馬用武力征服了希臘，希臘用文化改變了羅馬

奧古斯都不但為自己建造了很多雕像，而且形象也很百變，有時是將軍，有時是學者。其實在那個年代，很多奧古斯都雕像採用的都是「頭＋身體」的組裝方式：先批量生產頭部，隨後再將頭部安裝到不同的身體上去，所以他的雕像姿態雖然百變，但頭部其實都長得差不多。

從這一點就很能看出古羅馬的藝術風格了，那就是實用。羅馬是一個大帝國，它最厲害的是打仗和殖民，至於藝術，他們一貫的理念就是：不美沒關係，但一定要能用。這就註定了古羅馬人的審美力不會太靈光，你看他們的興趣愛好就知道，古羅馬人民最喜歡的就是坐在競技場裡，觀看奴隸們的生死搏殺，真的是好嗜血！

古羅馬人也明白自己沒文化，所以他們不停地向古希臘學習。古羅馬神話的絕大部分都是模仿古希臘神話的，無非就是將神的名字改了一下，像我們最熟悉的愛神名字「維納斯」（Venus），那其實是她的古羅馬名，愛神在古希臘神話裡是叫「阿芙蘿黛蒂」（Aphrodite）。

現在，我們再回過頭來看大英博物館收藏的這件青銅奧古斯都頭像（P154），就會發現它其實也充滿了古希臘元素。奧古斯都那高高隆起的眉骨、前額的髮梢還有凝視遠方的目光，都像極了古希臘的經典雕塑《持矛者》。

就是因為在古羅馬文化中隨處可見古希臘的影子，後人才會說這麼一句話：「羅馬用武力征服了希臘，而希臘用文化改變了羅馬。」

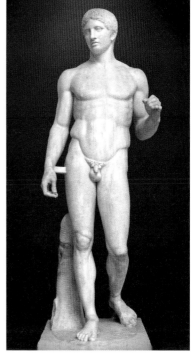

 學者形象的奧古斯都（Augustus depicted as a Magistrate）
哥本哈根新嘉士伯美術館（Ny Carlsberg Glyptotek, Copenhagen）

 持矛者（Doryphoros），古羅馬時期複製品
拿坡里國立考古博物館
（Naples National Archaeological Museum）

《奧古斯都頭像》：為什麼古羅馬皇帝的雕像，會身首異處？

難道羅馬人沒有自己的創新嗎？

　　古羅馬人也有自己的創新，但基本上都在建築領域，因為古羅馬人口眾多，所以它對建築空間的要求就非常高。古羅馬的建築基本都是以拱柱為基礎的，因為拱柱的跨度很大，可以達到10公尺，這樣一來，建築空間就會被大大解放。

　　像古羅馬著名的卡拉卡拉浴場就是一個以拱柱結構為基礎的大型建築，內部空間極其龐大，可以同時容納近2000人一起洗澡。

　　古羅馬人還是最早發明混凝土的民族（西元2世紀），正是因為這一點，他們才能造出萬神殿那樣宏偉的建築。萬神殿有一個直徑43公尺的巨無霸穹頂，在1000多年的時間裡，沒有任何一個建築能超越它。這樣巨大的穹頂，用一塊塊石頭去堆砌是絕對不可能實現的，當時的羅馬人就是用混凝土澆築才把這個穹頂給建起來。

♛ 卡拉卡拉大浴場（Terme di Caracalla）
♟ 約212年
♞ 義大利羅馬（Rome, Italy）

♛ 萬神殿（Pantheon）
🏛 約113年
🐎 義大利羅馬（Rome, Italy）

《奧古斯都頭像》：為什麼古羅馬皇帝的雕像，會身首異處？

♔ 萬神殿內部穹頂

程老師敲黑板

大英博物館收藏的奧古斯都頭像是一件極其罕見的青銅雕像，它並非在古羅馬境內發現的，而是在蘇丹的麥羅埃古城遺址被挖掘出來。因為這件頭像曾作為戰利品，被庫施人帶回麥羅埃，還將它放在沙子底下埋了1900多年。

這件奧古斯都頭像充滿了古希臘元素，像極了古希臘的經典雕塑持矛者，那是因為古羅馬人在藝術這方面一直是向希臘學習的，所以後人才會說：「羅馬用武力征服了希臘，而希臘用文化改變了羅馬。」

古羅馬文明最大的創新其實是在建築領域，他們是最早發明混凝土的民族，這讓羅馬人成功建造出了西方建築史上最偉大的建築之一——萬神殿。

14

馬雅宮廷放血儀式浮雕

馬雅文明是如何覆滅的？

馬雅宮廷放血儀式浮雕

約723年

主層大廳樓27號展間

2012世界末日預言

　　馬雅文明在當代最紅的時候應該是在2012年，因為當時每個人都在討論著他們關於2012年是世界末日的預言——在馬雅人的曆法中，有一個紀元是從西元前3114年8月13日開始的，這個紀元的長度是5125年，那麼它的結束日期就是2012年12月21日，所以才會有2012世界末日的說法。但那其實是對馬雅文明的一個很大的誤解，因為在那套曆法中，一個紀元的結束並不代表世界的毀滅，接下來會有另一個新的紀元開始，所以2012年絕不是馬雅人眼中的世界末日。

　　但話說回來，馬雅人的曆法還是非常厲害，他們在沒有天文望遠鏡的情況下，測算出了一個地球年為365.2420天，現代人的測算結果是365.2422天，誤差只有0.0002天。另外，馬雅人還測算出一個金星年為584天（指金星在繞行太陽的軌道上每584天超越地球一次），和現代人測算的結果也僅僅差了0.14秒，真的很難想像這麼精確的數字是幾千年前的古人計算出來的。

輝煌卻消失的馬雅文明

　　馬雅文明是一個奇蹟，它誕生在一片並不太適合農耕和畜牧的熱帶雨林裡，那裡僅僅靠著種玉米和其他農作物就發展出了一片人口密集且高度文明的土地，並且這種文明還持續了3000多年（約西元前2600-西元900年）。

　　馬雅帝國的疆域曾經橫跨現在的墨西哥、瓜地馬拉、洪都拉斯等國家和地區，馬雅人還發明了先進的文字、天文和曆法，留下了很多宏偉的建築，其中最出名的就是卡斯蒂略金字塔。

　　但是在西元750-850年間的某個時候，這個長達3000多年的古文明忽然消失了，留給後人無限遐想的空間，甚至有人說馬雅人是外星人，他們只是集體離開地球回老家去了。

♔ 卡斯蒂略金字塔，墨西哥契琴伊薩（El Castillo, Chichen Itza, Mexico）
🏛 西元8-12世紀

在大英博物館裡，有一塊很著名的馬雅宮廷放血儀式浮雕，透過它，我們或許可以瞭解馬雅文明覆滅的真正原因。

馬雅藝術的經典之作

馬雅宮廷放血儀式浮雕是於1882年由英國考古學家阿爾弗雷德・莫斯萊（Alfred Maudslay）在馬雅古城亞斯奇蘭的一個建築遺址的門楣上發現的，他當時非常野蠻地直接將它切割下來並帶回英國，所以直到現在，墨西哥也一直在向英國追討這件文物。

《馬雅宮廷放血儀式浮雕》：馬雅文明是如何覆滅的？

馬雅宮廷放血儀式浮雕（Yaxchilan Lintel 24）

約723年，高1.09公尺

主層大廳樓27號展間（Ground floor, Level 0, Room 27）

👑 亞斯奇蘭遺址（Yaxchilan）
🧘 位於今天的墨西哥嘉帕斯州（Chiapas）

　　該浮雕表現的是馬雅的盾豹王（Shield Jaguar the Great）和他的王后正在進行的一個神祕的刺血敬神儀式，你可以看見盾豹王正舉著燃燒的火把站立著，而他的王后則跪在一邊。這兩人的穿著都非常隆重，以此來表現他們的帝王身分。

　　這件浮雕是馬雅藝術裡極其罕見的珍品，浮雕裡的人物雖然有點抽象，但馬雅工匠們依然非常精緻地刻畫出了國王夫婦的臉部特徵以及他們精緻的服裝。這其實是很難的，因為馬雅文明一直處於石器時代，從來沒進入過鐵器時代，所以當時工匠們所能用的最鋒利的工具也就是黑曜石（一種非常堅硬的石頭）。他們能用那麼原始的工具將這件浮雕刻畫得如此精細且生動，實在是不可思議。

👑 黑曜石，馬雅工匠的雕刻工具

《馬雅宮廷放血儀式浮雕》：馬雅文明是如何覆滅的？

 馬雅宮廷放血儀式浮雕局部：國王　　　　　　　馬雅宮廷放血儀式浮雕局部：王后

　　浮雕中國王頭上的那一行圖案就是馬雅文字，它描述的是祭祀這一事件以及它的發生日期（西元709年10月24日），而國王身後豎著的那一列馬雅文顯示的則是國王夫婦的名字。

為什麼要刺血祭神？

　　這塊浮雕裡那位跪著的王后，她手上拿著一條滿是刺的繩子，並且正在用刺刺自己的舌頭，這就是所謂的「刺血祭神」。王后刺出來的鮮血是拿去祭獻羽蛇神的，而羽蛇神是馬雅文明中的一位主神。

那王后為什麼要用那麼血腥的行為來祭神呢？那是因為當時的馬雅王朝已處在煉獄之中。前面我就說過，馬雅文明是一個誕生在熱帶雨林中的文明，那裡的土地不適合農耕生產發展，所以馬雅人採用很原始的「刀耕火種」的方式來種植玉米和其他農作物。簡單來說就是在森林裡放一把火，燒出一片鬆軟的空地，隨後挖個坑將種子埋進去，接著就是靠土地自帶的肥料來獲得糧食，並不會去額外施肥和管理。

這是一種非常落後的農業方式，但馬雅人真的很厲害，硬是靠這種方式在熱帶雨林裡發展出了一個輝煌的文明，馬雅帝國巔峰的時候，人口數量甚至超過了1500萬。

生態破壞終結文明

刀耕火種有一個致命的弱點，那就是不可持續性，因為土地自帶的養分是有限的，用完了之後這片土地就等於是廢了，這樣一直繼續下去，可耕種的土地就會越來越少，生態環境會被大範圍破壞。到了西元700年的時候，馬雅文明已經歷經了3000多年，生態破壞已經非常嚴重，他們的玉米產量在大幅度地減少。隨後這片土地還遭遇了前所未有的乾旱，降雨量在100年的時間裡持續減少，在這種絕望的情況下，人類便開始向神靈求助，所以國王夫婦才會刺血祭獻羽蛇神，因為馬雅人相信這位神能夠帶來雨水和豐饒。而且刺血祭神這件事還必須由王室來完成，因為馬雅帝國的階級格外分明，窮人的血是不夠格祭神的。

只是發展到後來，王室的刺血祭神也無法改善當時的困境，國王的威信就開始崩塌了，大批底層的馬雅人聯合起來反抗王權，隨後大規模的活人祭獻也不斷出現，整個馬雅社會變得異常動盪和混亂，這才加劇了這個文明的覆滅。

所以馬雅文明的消失，並不是某個單獨的原因導致的，是生態被破壞、常年乾旱、政治與社會的動亂這些元素疊加在一起，才永遠終結了這個文明。

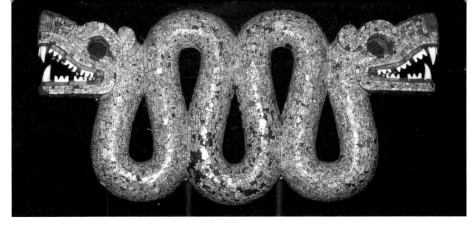

雙頭蛇（Double-Headed Serpent Mosaic）

約1400年，高20公分

主層大廳樓27號展間（Ground floor, Level 0, Room 27）

阿茲提克文明

馬雅文明消亡之後，位於中美洲地區的阿茲提克文明（Aztec Civilization，約14-16世紀）吸收了很多它的精華，阿茲提克人也同樣崇拜羽蛇神，像大英博物館的鎮館之寶之一雙頭蛇就屬於阿茲提克文明，它很有可能是阿茲提克人獻給羽蛇神的祭品。

埃爾南·科爾特斯
（Hernán Cortés, 1485-1547）

這條雙頭蛇的蛇身是由2000多顆綠松石馬賽克拼接而成，這種材料對當時的阿茲提克人而言比黃金還珍貴，因為當地完全沒有，都是透過貿易從遠方換來的，而雙頭蛇的牙齒，則是用深海的海菊蛤貝殼做成。用那麼多珍貴材料製作雙頭蛇，普通人是不可能擁有的，所以考古學家才推測它應該是獻給神的祭品。

1521年，西班牙軍事家科爾特斯帶著軍隊到了墨西哥，他和當時的阿茲提克國王碰了面。據說國王將科爾特斯誤認為是羽蛇神的後裔（大概是由於他的異國相貌），認為他是不可戰勝的，所以國王並沒有立刻召集軍隊趕走他，反而向他獻上了很多珍貴的禮物，其中大概就有這件雙頭蛇。

但西班牙人最終還是沒有放過他們，阿茲提克帝國的首都被夷為平地，緊接著歐洲的天花傳入墨西哥，由於當地的居民對這種病毒毫無免疫力，十年之內，95%的居民都死亡了，阿茲提克文明也就這樣消亡了。

程老師敲黑板

- - - - - - - - -

🔍　　馬雅文明誕生在一片並不太適合農耕和畜牧的熱帶雨林裡，僅僅靠著種玉米和其他農作物，就發展出了高度文明，創造出異常發達的文字、天文和曆法，並且這一文明持續了3000多年。

🔍　　到了西元700年的時候，馬雅文明走到了尾聲，因為生態被破壞得非常嚴重，還遭遇了持續乾旱，在這種絕望的情況下人類開始向神靈求助，大英博物館的這件馬雅宮廷放血儀式浮雕就是最好的證明。

🔍　　馬雅文明消亡之後，阿茲提克文明吸收了很多它的精華，阿茲提克人也同樣崇拜羽蛇神，大英博物館的鎮館之寶之一雙頭蛇就是來自阿茲提克文明。但最終，這個文明還是因為西班牙人的入侵而完全滅亡了。

15

智利復活節島雕像

世外桃源的真正下場是什麼？

復活節島雕像

西元1000年

主層大廳樓24號展間

👑 復活節島雕像何瓦‧何卡納奈阿（Hoa Hakananai'a）

🧍 西元1000年，玄武岩，高2.42公尺，重4.2英噸

🐎 主層大廳樓24號展間（Ground floor, Level 0, Room 24）

👑 復活節島上的石像

　　大英博物館裡，有一座來自復活節島的石像，它的名字叫何瓦‧何卡納奈阿，意思是「隱藏的朋友」。這座石像高有2公尺多，重4英噸多，體積超級大，一進展廳一定能看見它。像何瓦‧何卡納奈阿這樣大體積的石像，復活節島上還有近千座，其中最大的高近20公尺，重達百英噸，實在是非常壯觀。

復活節島居民為什麼要造那麼多巨大石像？

　　復活節島，也叫拉帕努伊島（Rapa Nui），屬於南太平洋上的玻里尼西亞群島（Polynesia）之一。這個島絕對是與世隔絕般的存在，智利是離它最近的大陸，但兩者也相隔3500多公里，因此，復活節島也被稱為人類最偏僻的居住地。

　　這樣一個與世隔絕的島嶼，正常情況下人類是不會去居住的，但在西元400年左右，有一群人被玻里尼西亞群島上的人流放了。他們在海上漂泊很久，最終發現了復活節島，於是他們就登島並且在島上定居下來。

♛ 復活節島雕像

復活節島雖然與世隔絕，但是島上長滿了高大的棕櫚樹，島民們就用棕櫚樹造房子住，還用它造船出海捕魚。此外，他們被流放時還帶了一些植物種子，因此也會在島上種田。就這樣，第一批復活節島民的小日子過得還挺不錯的，不到幾百年的時間，島上的人口就增長到了上千。

祭祀先祖，獲得先人庇護

也就是在那個時候，復活節島的居民們開始建造巨大的石像，因為他們想要祭祀先祖。島民認為，祖先的靈魂會寄居在這些巨大的石像裡，所以，他們喜歡將石像排得整整齊齊，背朝大海望著復活節島，象徵著先人們的庇護。

其實能夠建造那麼多巨大的石像，就意味著當時的復活節島相當繁榮，至少島民們的糧食很有保障，不用每天都忙著捕魚種田，否則大家餵飽肚子都來不及了，誰有空造石像。到西元1200年左右，復活節島的人口增加到一萬，而石像也造了將近一千座。要知道，復活節島一直處於石器時代，因為島上沒有金屬資源，也不可能和外部交換，所以島民們能用的工具相當原始。在這種情況下，還能建造出如此多巨大的石像，光糧食充足可是不夠的，社會分工也需要相當明確。另外，還需要有一個強大的組織在背後協調支撐，上面這幾點缺一不可。所以說，島上的這些巨大石像，都是復活節島曾經輝煌的最好證明。

大英博物館這件何瓦·何卡納奈阿，是典型的復活節島石像樣式：石像的臉就是一個長方形，眉骨突出，鼻孔超級大，雙唇緊閉，一副生氣噘著嘴的模樣。

👑 復活節島雕像何瓦‧何卡納奈阿

　　何瓦‧何卡納奈阿雙手捧著肚皮，胸前還有兩個非常明顯凸起的小乳頭。復活節島的居民能用原始工具將石像雕出這副模樣，已經是相當厲害了。

何瓦‧何卡納奈阿背後的浮雕，代表的是什麼？

　　現在的智利政府經常會向英國政府施壓，要求將這座何瓦‧何卡納奈阿像還給他們。很多人都想不通，復活節島上還留存著將近一千座類似的石像，為什麼智利政府一定要大英博物館歸還這件不可呢？

👑 何瓦・何卡納奈阿雕像局部

　　這倒不是因為智利人小氣，而是這件何瓦・何卡納奈阿像實在太過珍貴，因為它的身上同時擁有著復活節島繁榮和衰敗的印記，這是島上的其他石像無可比擬的。

　　復活節島是一個與世隔絕的島嶼，最大的問題就是資源有限，沒辦法得到外部的補給。如果島民們懂得永續發展的話或許還行，但事實上，他們真的是一點也不懂。大概在1650年的時候，復活節島的人口就達到了2萬，伴隨著人口大爆發的結果就是島上的棕櫚樹被過度砍伐，徹底滅絕了，這一點是相當可怕的。

🔱 烏領燕鷗（sooty tern）

生態系統的崩塌引發生存危機

首先，島民沒辦法再造船了，那就意味著不能再出海捕魚，所以從那時起，島上的人就只能吃素。其次，島上的鳥類開始滅絕，因為它們無法在樹上築巢，這又慢慢引起了島上整個生態系統的崩塌，生存資源變得越來越少。面對這樣巨大的生存危機，島民們首先覺得是信仰出了問題，是祖先們不再保佑他們了，於是他們完全改變了信仰，不再建造巨大的石像，轉而去發展另一種宗教儀式，後人稱其為「鳥人崇拜」。

每一年島民們都會穿過懸崖峭壁，跑去搶奪一種叫作烏領燕鷗的海鳥在當年生下的第一枚鳥蛋。搶到鳥蛋的人就會成為那一年的「鳥人」，他被認為擁有了神聖的能力，可以幫助大家渡過難關。而他也必須獨自居住，將指甲留得像鳥爪一樣長，從而在外貌上變成一個真正的鳥人。我猜他們這種全新的信仰，大概是真的希望自己能變成鳥兒長出翅膀，飛出這個死亡之地吧。

♛ 復活節島雕像何瓦・何卡納奈阿背面

渴望飛出死亡之地的鳥人崇拜

　　大英博物館收藏的這座何瓦・何卡納奈阿像最特別的地方其實是在它的背面，因為上面刻滿了浮雕，而這些浮雕所表現的就是島上居民的「鳥人崇拜」。在何瓦・何卡納奈阿像的背上，你可以清晰地看見兩個對稱的鳥兒，在這兩個鳥人的上面還有一隻小鳥，它就是烏領燕鷗，而烏領燕鷗所下的鳥蛋就是整個信仰儀式的核心。

這便是何瓦・何卡納奈阿的珍貴之處：這座石像本身是復活節島繁榮的象徵，但它背後的浮雕又是這個島衰敗的標誌。

復活節島最終的結局如何？

復活節島的居民本以為轉變了信仰，就能為這個島帶來一線生機，然而並沒有，島上的生存資源依然在飛速下降，島民們最終完全崩潰了。為了搶奪剩下的生存資源，他們開始內鬥，最嚴重時甚至出現人吃人的現象，於是島上人口數量開始銳減，整個社會結構就這樣崩塌了。

等到1722年，西方人第一次到達復活節島時，島上的人口連3000人都不到。而且在那之後，島民們的遭遇更加悲慘，首先是壯丁們都被西方人抓去當奴隸，而剩下的原住民因為無法抵抗西方人帶來的天花病毒，也死掉了一大半。

到了1868年，英格蘭皇家軍艦到達復活節島的時候，島上的居民就只有幾百人了。島上的首領已經改信基督教，所以他才會將這座何瓦・何卡納奈阿像送給英國人，因為首領已經改變了信仰，這件雕像對他來說是異教的象徵，所以才想將它送走。不過這些只是英國人單方面的說法，很有可能他們就是直接把何瓦・何卡納奈阿像給搶走。

地球何嘗不是放大版的復活節島

這就是復活節島作為一個世外桃源的大結局，它的文明是完完全全覆滅的。其實作為一個與世隔絕的孤島，如果島上的人民不懂得永續利用那些相當有限的資源，那結局必然是完全毀滅的。我們不妨再往深處去想一下：地球，它又何嘗不是一個放大版的復活節島呢？

程老師敲黑板

　　大英博物館收藏的這件何瓦・何卡納奈阿像，是復活節島近一千座巨大石像中的一個，它是復活節島曾經繁榮的象徵。島民們建造那些石像是為了祭祀先祖，他們認為祖先的靈魂會寄居在那些巨大的石像裡。

　　復活節島是一個與世隔絕的島嶼，最大的問題就是資源有限，而島民們也完全不懂永續發展，這就使得島上的生態系統最終瓦解了。島民們以為是信仰出了問題，便放棄建造石像，轉而去崇拜「鳥人」，何瓦・何卡納奈阿像背面的浮雕，記錄的就是這個轉變過程。

　　1722年，西方人第一次到達復活節島時，島上的人口連3000人都不到，而且在那之後，島民們的遭遇更加悲慘：首先，壯丁都被西方人抓去當奴隸；其次，西方人的到來帶來了天花病毒，剩下的人又死掉一大批，復活節島的文明就這樣完全覆滅了。

16

薩頓胡頭盔

為什麼英國人認為盎格魯－撒克遜人是他們

的祖先？

The Sutton Hoo Helmet

薩頓胡頭盔

600-650 年

上層3樓41號展間

♛ 英格蘭薩福克郡的薩頓胡陵墓（Sutton Hoo, Suffolk, England）
♜ 薩頓胡船葬墓挖掘現場

英國考古史上的重要發現

　　1939年，英國人在薩福克郡挖掘出了著名的薩頓胡陵墓，那是西元7世紀盎格魯－撒克遜人（Anglo-Saxon）的王室陵墓，他們沿襲北歐人的風俗，進行了船葬。

　　這艘長度超過27公尺的船裡，裝滿大量的金幣、武器和鑲滿珠寶的飾品，它向世人展現了1300年前盎格魯－撒克遜藝術的精美，薩頓胡船葬墓也因此成了英國考古史上最重要的發現之一，它在英國的地位，就如同中國的兵馬俑。

　　在所有的薩頓胡船葬物品中，最著名的就是薩頓胡頭盔，它是英國史的代表物品之一，也被譽為迄今為止所發現的最重要的盎格魯－撒克遜藝術品。

♚ 薩頓胡頭盔（The Sutton Hoo Helmet）

♟ 600-650年，高31.8公分，寬21.5公分

♞ 3層41號展間（Level 3, Room 41）

盎格魯－撒克遜文明

在歷史上，英格蘭作為一個國家，它之所以能從史前時代跨進文明時代，其實是拜羅馬人所賜。西元前55年，凱撒大帝入侵了不列顛島，他將英國收入囊中，讓它變成古羅馬帝國的一個行省。羅馬人為英國人帶來先進的文化和習慣，讓他們開啟了文明的進程，像葡萄酒、橄欖油、胡椒等這些東西都是羅馬人帶到英國的，甚至連基督教也是透過羅馬人傳入英國的。其實直到今天，我們依然能在很多方面感受到古羅馬對英國的影響，最直接的就是英語，因為它的26個字母就起源於古羅馬的拉丁字母。

古羅馬人統治了英國300多年，一直到西元406年，羅馬帝國開始發生內亂，古羅馬人實在是自顧不暇，只能放棄英國了。羅馬軍隊開始大規模地撤離不列顛島，等他們完全撤離後，盎格魯－撒克遜人就登場了，他們非常野蠻地入侵了英格蘭，開啟了英國的盎格魯－撒克遜時代（西元450-1066年）。

《薩頓胡頭盔》：為什麼英國人認為盎格魯-撒克遜人是他們的祖先？

👑 薩頓胡頭盔

非英國黑暗時代的證明

在盎格魯－撒克遜人統治英格蘭的前幾個世紀，他們征殺不斷，戰爭沒停過，所以那段時期一直被看作是「黑暗時代」，英格蘭文明被認為倒退回原始狀態。但薩頓胡船葬的出現改變了這一切，完全刷新英國人對那段歷史的認知。

薩頓胡船葬墓裡的珍寶，尤其是薩頓胡頭盔，它們都清楚地表明了在古羅馬人離開後的那幾個世紀並非「黑暗時代」，在盎格魯－撒克遜人統治下的英格蘭

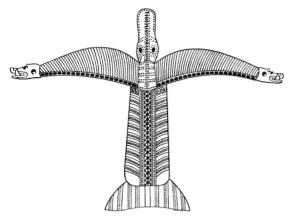

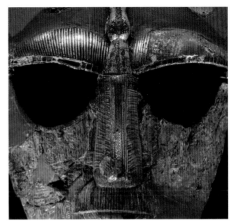

👑 薩頓胡頭盔上的圖案，宛如飛翔的龍　　👑 薩頓胡頭盔局部

也並非原始社會，它的文明程度反而非常高，貿易範圍也很廣。英國人在薩頓胡船葬裡發現了很多金幣，它們可不是英國產的，其中有一些來自拜占庭的，還有一些是來自埃及亞歷山大港的。另外，在船葬裡還發現了來自敍利亞的絲綢，甚至還有北非的碗，這些物品都說明當時盎格魯－撒克遜人的貿易網絡大得驚人，幾乎涵蓋了大半個地球。

　　我們再來仔細地看下船葬裡最珍貴的薩頓胡頭盔，雖然它腐蝕得非常嚴重，但你依然能清晰地看見頭盔上的眉毛、鼻子，甚至是鬍鬚，在眼眶的上方，還殘留著一些鑲嵌的紅寶石。

　　薩頓胡頭盔的設計非常巧妙，如果你試著將頭盔上的眉毛、鼻子和鬍鬚連起來看的話，就會發現它很像一條飛翔的龍：鼻子是飛龍的身體，眉毛是翅膀，鬍鬚則是尾巴。在盎格魯－撒克遜文化中，飛翔的龍是一種很神聖的物種，它是戰爭的保護神，所以當時的匠人們才會如此用心將飛龍暗含在這個頭盔中。

♛ 復原後的薩頓胡頭盔

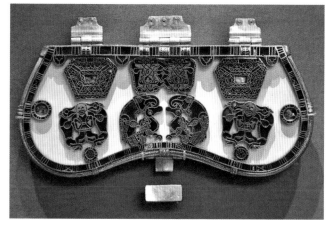

♛ 薩頓胡錢包蓋（The Sutton Hoo Purse-Lid）
♟ 600-650年
♞ 上層3樓41號展間（Upper floor, Level 3, Room 41）

數十年的修復見真章

　　薩頓胡頭盔出土後，英國人花了幾十年來修復它，復原後的頭盔（左頁）顯示：原本的薩頓胡頭盔表面鍍有金銀，而且上面還刻滿了華麗的圖案，有美麗交錯的紋飾，也有描繪人物的場景。這件頭盔如此精緻，不禁讓後人懷疑它並不是伴隨著士兵去打仗的，它更像是王權的象徵，就如同王冠一樣。另外，它的存在也足以說明7世紀英格蘭的文明應該相當發達，否則不可能製造出如此精緻的頭盔。

　　在薩頓胡船葬墓中，還有一件非常有名的錢包蓋。它的表面設計非常精美，金片裡鑲嵌著紅色的石榴石和深藍色的青金石，形成了特別漂亮的植物幾何圖案。上面還有描繪人物的圖案，刻畫的是一個小人正被兩匹狼夾擊。圖案雖然有點抽象，但真的極其細緻。這說明在7世紀的英格蘭已經有了非常傑出的工匠，他們可以說將掐絲琺瑯工藝發展到了巔峰，即便是在今天，我們想達到這個錢包的製作水準也是相當難的。

英格蘭的七國鼎立時代

在中世紀，頭盔不僅僅是一種戰鬥裝備，還是領導力的重要象徵。目前在英國發現的盎格魯－撒克遜人的頭盔中，比如科波蓋特頭盔，它們都是沒有臉部遮蓋的，但薩頓胡頭盔卻完全不同，它不但有臉部遮蓋，而且還被裝飾得異常華美。所以後人懷疑，這頂頭盔的主人很有可能是當時東安格里亞（East Anglia）的國王雷德沃爾德（Raedwald）。

西元450年，盎格魯－撒克遜人入侵英格蘭後，他們各自瓜分地盤，建立了很多小王國，到最後就形成七國鼎立的局面，東安格里亞就是七國中的一個。那段時期被稱為英格蘭的「七國時代」，美劇《冰與火之歌：權力遊戲》中的七國格局，參照的就是那段歷史。

「七國時代」的最終結局是最西邊的威塞克斯王國（Wessex）打敗其他六國，實現了國家的統一。當時威塞克斯統一的疆域已經非常接近今天的英格蘭了，所以英國的統一，從那個時候才算是真正的開始。

👑 威塞克斯國王阿爾弗雷德（Alfred）

七權爭霸進化制度，促成統一

在七國爭霸的過程中，這七個國家的君主所要做的可不僅僅是打仗，他們同時還要學習管理國家。各國的法律、行政和稅務系統都在這一時期慢慢建立起來，它讓盎格魯－撒克遜從原本落後的部落首領制度，慢慢地轉變成更先進的君主王權制，這一點是極為關鍵的，因為它為未來英格蘭的統一奠定了制度基礎。

七國爭霸的結果，不僅僅使英格蘭完成了地域的統一，也讓盎格魯－撒克遜人在語言、習俗、法律等各個方面進行融合，奠定了整個國家的民族基礎。這也就是為什麼現在的英國人普遍認為盎格魯－撒克遜人才是他們的祖先，而維京人或者羅馬人在他們眼裡都是外來的侵略者。或許事實也正是如此，因為「英格蘭」（England）這個詞，它的原意就是「盎格魯人的土地」。

♛ 薩頓胡頭盔局部

程老師敲黑板

薩頓胡船葬墓是1939年英國人在薩福克郡挖掘出來的，它是西元7世紀盎格魯－撒克遜人的王室陵墓。這是英國考古史中最重要的發現之一，船葬墓中的薩頓胡頭盔更是被譽為迄今為止最重要的盎格魯－撒克遜藝術品。

英國人一直以為在古羅馬人撤離不列顛島之後的那幾個世紀，在盎格魯－撒克遜人統治下的英格蘭處於非常黑暗的時代，整個社會都倒退回了原始狀態。但薩頓胡船葬墓的出現改變了這一切，船上的珍寶尤其是薩頓胡頭盔清楚地表明7世紀的英格蘭一點也不黑暗，那是個高度發達的社會，貿易範圍也非常廣。

盎格魯－撒克遜人入侵英國之後，形成著名的「七國時代」，最終是西邊的威塞克斯王國脫穎而出，完成了國家的統一。這次統一不僅僅是地域上的，它也讓盎格魯－撒克遜人在語言、習俗、法律等各方面都進行融合，為國家統一奠定了民族基礎，這也就是為什麼現在的英國人普遍認為盎格魯－撒克遜人才是他們的祖先。

文明的融合

Seated Buddha from Gandhara

The Lewis chessmen

The Great Wave off Kanagawa

Rhinocerus

Mausoleum at Halicarnassus

01

02

人類早期的各大文明，雖然都形成了完整的世界觀，但由於交通不發達，當時人類所認識的世界也僅僅是地球的一部分而已。但是在一些重要的交通樞紐上，比如說絲路，或者是亞歷山大大帝東征之路，在那些地方，各大文明之間就會進行交流和融合。關於這一點，大英博物館所收藏的很多文物都能體現出來，比如這一章節裡要介紹的犍陀羅佛陀坐像、摩索拉斯陵墓和路易斯西洋棋。

其實人類一直是到了15世紀的大航海時代之後，才算真正地認識了全世界，東西方文化交流和碰撞也變得前所未有地頻繁。大航海時代將整個世界的格局都改變了，而藝術家們也將這些巨變都呈現在自己的作品中，大英博物館所收藏的葛飾北齋的《神奈川沖浪裏》以及杜勒的《犀牛》就是其中的佼佼者。

03

在這一章節裡，我希望透過上面提到的五件作品，讓你看見各種文明之間如何互相交融和吸收，另外，這種「文明融合」其實一直持續到了今天，「全球化」就是最好的證明。

04

05

17

犍陀羅佛陀坐像

它跟我們熟悉的佛像為什麼不一樣？

Sacred Buddha from Gandhara

犍陀羅佛陀坐像

西元2-3世紀

主層1樓33號展間

👑 犍陀羅佛陀坐像（Seated Buddha from Gandhara）
🔱 西元2-3世紀，95x53公分
🐎 主層1樓33號展間（Ground floor, Level 1, Room 33）

古希臘與印度文明的融合

　　大英博物館裡有一尊很有名的犍陀羅佛陀坐像，它被認為是世界上已知最古老的佛像之一。這尊佛像來自古印度的犍陀羅地區，也就是今天的巴基斯坦和阿富汗東北邊境那一帶。

　　這座犍陀羅佛陀坐像，體型不算特別高大，和真人大小差不多，但是在它背後，反映的卻是古希臘和印度文明之間的互相融合。更有趣的是，這種融合的犍陀羅風格又透過絲路傳入中國。

佛陀生前從未踏足過，為何誕生最早的佛陀造像？

古代印度的地理形態是三面臨海，一面背山，只有西北處那一帶有幾個山口可以和外界互通，所以古印度就像一塊獨立的大陸，也因此被稱為「南亞次大陸」。犍陀羅地區就位於西北處的那幾個能和外部交流的交通要道上，所以它的地理位置非常關鍵，這也就導致了它一直被外族人虎視眈眈——波斯人、帕提亞人＊、亞歷山大大帝都曾佔據過犍陀羅。

佛陀生活在西元前4世紀的古印度，他生前並沒有去過犍陀羅，因為他是北印度中部迦毗羅衛國（Kapilavastu）的王子，佛陀誕生、成道、初轉法輪、涅槃的這四大聖地，也都集中在恆河流域。

佛陀去世後的500年內，並沒

♕ 佛陀的腳印
🗿 西元1世紀
🐎 東京善養寺

有出現過他的造像，因為佛教反對偶像崇拜，他們認為無論你將雕塑刻畫得如何逼真，也都無法表現已經超越輪迴、最終涅槃的佛陀形象。所以，最初的佛教徒只是用一些象徵物來代表佛陀，比如他的腳印、他頓悟時在他身旁的菩提樹等。

＊安息帝國，存在於西元前247年－224年，又稱阿爾薩息王朝或阿薩息斯王朝，西方史書稱其為帕提亞帝國，是古波斯地區古典時期的一個王朝。

《犍陀羅佛陀坐像》：它跟我們熟悉的佛像為什麼不一樣？

開始為佛陀造像的改變契機

但是在西元1世紀後，佛陀的造像卻在犍陀羅這個地方出現了，這主要是因為當時的印度是被貴霜王朝統治的，這個帝國在國力最巔峰的時候，統治的疆域從今日的喀布爾一直延伸到伊斯坦堡，而犍陀羅就位於貴霜帝國的中央，它是整個國家的統治中心。

貴霜王朝一直非常努力地推廣佛教，犍陀羅也因此變成了佛教世界的信仰中心，這個時候，佛教裡那種不為佛陀造像的情況就發生了改變：

1. 首先是因為佛陀生前從未到達過犍陀羅，佛教四大聖地都處在恆河流域，所以犍陀羅的佛教徒們朝拜佛教聖地很不方便，但他們想要觸摸和感受佛陀的願望也是真切存在的，這就為佛陀造像的出現提供了適宜的土壤。

2. 其次，貴霜王朝統治印度時，絲路處於鼎盛時期，商人的力量也變得前所未有的強大。

3. 最後，犍陀羅這個地方很特殊，因為早在西元前4世紀亞歷山大大帝東征時，他就打到了印度並且攻佔了犍陀羅。亞歷山大大帝在武力征服犍陀羅的同時，也將古希臘文化帶到這裡，所以古希臘那種超級愛為神建雕像的習慣對犍陀羅的影響是非常深的。

正是由於上面說的這三點，才讓印度佛教改變了「不准偶像崇拜」這一習俗，最初的佛陀造像因此就在犍陀羅誕生了。

這尊佛像為什麼和你平時看見的不一樣？

大英博物館收藏的這尊犍陀羅佛陀坐像，和我們現在看見的佛陀形象還是有很大區別，這主要是因為這尊佛像的風格很大程度上受到古希臘雕塑的影響。前

♛ 右：索桑德拉的阿芙蘿黛蒂（Aphrodite Sôsandra）古羅馬複製品
🗿 原作約西元前5世紀
🐎 巴黎羅浮宮（Louvre, Paris）

面也提到，亞歷山大大帝早在西元前4世紀就將古希臘文明帶到犍陀羅來，所以當犍陀羅的藝術家開始為佛陀做雕像時，就不免會去參考古希臘雕塑的風格。

　　你仔細看這尊犍陀羅佛陀坐像的頭部——佛陀那高挺的鼻子、橢圓的臉型，還有波狀的頭髮，這些元素在古希臘雕塑中都是很常見的。

《犍陀羅佛陀坐像》：它跟我們熟悉的佛像為什麼不一樣？

　　另外，你再看佛陀身上披著的袈裟，它緊貼著身體，清晰勾勒出了佛陀的身體形態，衣紋的皺摺也都是往下墜的，很有份量感。這種雕塑手法也是古希臘雕塑家常用的。

　　不信你去看本書第一章節裡介紹過的巴特農神廟的命運三女神浮雕，那可是古希臘最經典的雕塑形象，她們穿的衣袍也都緊緊地貼在身上，很有下墜感。

　　但這尊犍陀羅佛陀坐像也並不是完全的希臘風，它也保留了很多印度的本土文化。比如佛像的手勢、坐姿以及眉間的圓點，這些都是來自印度佛教。

　　根據印度的佛經記載，佛陀的眉間有著柔軟的白色毫毛，佛陀的光就從這裡發出。所以犍陀羅的藝術家就在佛陀的眉間雕刻了一個圓點，以此象徵「白毫」。再來看佛陀的手勢，他是舉起右手握住了左手的手指，這個手勢是印度藝

術中最古老的佛教象徵。

　　所以可以這樣說，這尊犍陀羅佛陀坐像融合了古希臘和印度本土文化，它其實是一件東西方文明大融合的產物。

犍陀羅佛像藝術還傳入了中國

　　在貴霜王朝統治時期，犍陀羅是絲路上的一個重要節點，它不僅連接著中亞和印度，還和地中海世界相通。

　　中國的佛教最初就是從印度佛教傳過來的，走的就是絲路，犍陀羅佛像也是這樣傳進中國，我們也接受了它。

　　最好的證明就是北魏時期建造的雲岡大佛 （P208），這座著名的大佛其實有很濃厚的犍陀羅風格——鼻子非常高挺，臉龐也很豐滿，還有他身上穿的袈裟也是緊貼身體的，袈裟上還有著細密的紋路和皺摺，所有這些都是典型的犍陀羅元素。

　　在中國的佛教藝術史上，北魏這個時期的佛像風格其實是處於轉型期，它先是吸收犍陀羅佛像的元素，隨後再將它慢慢融進中國本土文化之中。

唐代之後佛教藝術全面中國化

　　其實中國一直是到了唐代，佛像藝術才完全中國化，這個時期的佛像已經一點都看不見犍陀羅的影子了，完全變成符合中國人審美的模樣。

☗ 雲岡大佛
☗ 建於北魏時期

程老師敲黑板

大英博物館收藏的這尊犍陀羅佛陀坐像被認為是世界上已知的最古老的佛像之一。佛陀生活在西元前4世紀的古印度，由於佛教一直反對偶像崇拜，在佛陀去世後的500年內都沒有出現過他的造像，而佛陀最初的造像就誕生在犍陀羅。

佛陀造像之所以會最先誕生在犍陀羅，主要因為犍陀羅是當時佛教世界的信仰中心，信徒們想要觸摸和感受佛陀的願望非常迫切；另外，商人們在世俗修行的過程中，也需要一個具體的供奉對象；最後，犍陀羅這個地方很特殊，亞歷山大大帝曾經征服過它，古希臘那種超級愛為神建雕像的習慣對它的影響非常深。

這尊犍陀羅佛陀坐像是融合了古希臘和印度本土文化的產物。佛陀的容貌以及衣紋皺摺的雕刻手法都非常古希臘，但佛像的手勢、坐姿以及眉間的白毫，都還是印度本土文化的象徵。

犍陀羅佛像藝術最終透過絲路傳入中國，北魏時期建造的雲岡大佛就表現出濃厚的犍陀羅風格。佛像藝術直到唐代才完全中國化，這個時期的佛像完全變為符合中國人審美的模樣。

18

路易斯西洋棋

為什麼12世紀的棋子能成為當代網紅？

The Lewis chessmen

路易斯西洋棋

12世紀

上層3樓40號展間

🜲 路易斯西洋棋
🜊 12世紀，4-10公分
🜔 上層3樓 40 號展間（Upper floor Level 3, Room 40）

大英博物館的人氣文創商品

　　路易斯西洋棋應該是全世界最有名的西洋棋了，大英博物館的商店裡最具人氣的文創產品就是它，這主要是因為棋子裡的很多形象都被做成了表情包，比如王后棋子，她手托著下巴的造型，再配上一句「你居然打我？」，表情真是萌到翻！路易斯西洋棋是1831年在蘇格蘭外赫布里底群島（Outer Hebrides）中的路易斯島（Lewis）上被發現的，它們被發現時一共有82枚，大英博物館買下了其中的67枚。

《路易斯西洋棋》：為什麼12世紀的棋子能成為當代網紅？

♚ 路易斯西洋棋

中世紀維京人的生存狀態

路易斯西洋棋都是用海象的牙齒或者是鯨魚的牙齒做成的，而且做工非常精緻，它們的製作時間大概是西元12世紀，是極其罕見的從中世紀留存下來的西洋棋。路易斯西洋棋雖然是在蘇格蘭被發現的，但它們卻是維京人的產物，因為12世紀的路易斯島，就是處於挪威維京人的統治之下。

路易斯西洋棋的尺寸都不大，最高的也就只有10公分。它們應該是中世紀的維京人隨身攜帶著的一套西洋棋，在工作閒暇之餘，可以和夥伴們一起放鬆玩。

西洋棋最初誕生在印度，後來經由中東傳入了歐洲。西洋棋作為一種戰爭類遊戲，棋子的名稱、形狀以及下棋方式都很能展現當時社會的權力結構以及運作方式。所以透過這套路易斯西洋棋，我們不僅可以了解到中世紀挪威維京人的生存狀態，還能發現維京文化和歐洲主流文化的交流與影響。

♚ 國王棋子的背面

《路易斯西洋棋》：為什麼12世紀的棋子能成為當代網紅？

主教棋子——資訊爆量

路易斯西洋棋中是有主教棋子的，他頭戴著大主教的帽子，手裡還拿著一本《聖經》。這枚棋子可太有資訊量了，因為它說明即便身處在歐洲大陸最邊緣的挪威，基督教還是在那裡站穩了腳跟。這一點，還真的是多虧了英格蘭。

中世紀維京人生活的地方基本上就是今天的丹麥、挪威、瑞典這一帶，這些地方都太冷了，實在不適合發展農

♛ 主教棋子

業，所以大部分的維京人都從事「海盜」這個行業。他們的搶劫路線非常廣，能從北海搶到地中海，而且維京人還特別凶殘，所以整個歐洲都對他們非常害怕，尤其是英格蘭人。在歷史上維京人一直在打劫英格蘭，甚至有好幾次都統治英格蘭了，所以維京文化也成了現代英國文化的一部分，比方說，英文單字中的「Thursday」（週四），就是來自維京神話中的雷神索爾（Thor）。

英國人心裡清楚自己打不過維京人，也明白沒辦法將他們完全從自己領土上趕出去，於是他們就動用了「基督教」這個武器，希望可以用宗教來馴化維京人。於是，英國人透過外交、聯姻等一系列手段，真的就讓維京人慢慢信奉基督教了。

西元10世紀，丹麥的藍牙王（Harald Blåtand Gormsen）最先信奉了基督教，挪威和瑞典也相繼效仿，正是在這個基礎之上，北歐才逐漸融入了基督教世界，所以路易斯西洋棋裡才會出現主教棋，而這一影響，直到今天還在繼續。

♔ 狂戰士棋子

狂戰士棋子——跟你拼命的海上戰狼

　　在這套路易斯西洋棋中，還有好幾枚看上去非常凶狠的戰士棋子，它們在西洋棋裡的功能類似於城堡（rooks）。這幾枚戰士棋子中的人物都將盾牌橫在胸前，牙齒死死地咬住盾牌不放，一副要跟你拼命的樣子。這其實就非常有維京人的特色了，這些戰士的形象應該是源自維京神話中的狂戰士（Berserker），傳說他們能在戰場上刀槍不入、所向披靡，因而受到每一位維京戰士的崇拜。

　　從這些狂戰士棋子上，也的確能想像得出維京人的凶殘和嗜血，難怪他們會被稱為「海上戰狼」。

　　前面所說的主教棋子和狂戰士棋子，其實是來自兩種不同的宗教，卻共存在這套路易斯西洋棋裡，這就是維京文明和歐洲主流文明相互交流和影響的結果。

♚ 騎士棋子

騎士棋子──諾曼征服帶進文化

在路易斯西洋棋裡，還有很多騎士棋子，士兵們舉著盾牌騎在一匹可愛的小馬上。這其實也非常特別，因為在北歐，可是沒有什麼地方讓你騎馬的，大家主要使用的交通工具是船。這些騎士棋子顯然受到了歐洲主流的騎士文化影響，而且也是從英國傳到挪威去的。

只不過在11世紀之前，英國也是比較邊緣化的國家，因為之前統治他們的是盎格魯－撒克遜人，也是屬於偏蠻族的那一類。

但是在1066年，法國的諾曼第公爵征服了英格蘭，在英國建立起了諾曼王朝，史稱「諾曼征服」。這次征服對英國的影響實在是太大了，因為諾曼人將當時西歐最先進的法國文化帶去落後的英國，讓英國人慢慢地提升自己，逐漸地融進了歐洲的主流圈。今天英文裡有很多單字都是來自法文，這就是「諾曼征服」所帶來的影響，也難怪會有學者說：「如果沒有『諾曼征服』，就不會有今天的英國。」

11世紀之後，英國又將這種歐洲主流文化慢慢地傳去北歐，影響了維京人，所以路易斯西洋棋裡才會出現騎士這樣的棋子，它背後所反映的其實是整個西歐宮廷文化對北歐的影響。

棋子為什麼能做成表情包？

前面我就說過，路易斯西洋棋的走紅，很大一部分是因為表情包。現代人之所以會選擇這些棋子來做表情包，是覺得它們很萌。但中世紀的人，可是沒有「萌」這個概念的。就說「王后托腮」這個表情吧，當時的人之所以會這樣塑造它，其實是想表達王后正在思考。

因為在西洋棋裡，王后都是陪伴著國王出現的，她充當的是國王顧問的角色，所以她才需要經常思考。手托著腮這個動作在中世紀人的眼裡，更多的是一種智慧的表現。

👑 路易斯西洋棋中的國王棋子和王后棋子

反差萌，讓棋子走紅

　　只不過在中世紀的藝術裡，人物形象都非常呆板僵化，因為當時藝術服務的主要對象就是教會，繪畫或者雕塑所傳達的主要內容都是聖經故事，所以完全不需要浪費時間在「寫實」上，只要把內容交代清楚就好了。這也就是為什麼中世紀藝術非常不立體，是很平面的，這和現代的卡通畫很像。

　　但也正是因為這點，讓中世紀的路易斯西洋棋和現代流行審美產生了交集，其中的反差萌，才是讓這套棋子走紅的真正原因。

程老師敲黑板

路易斯西洋棋由12世紀的維京人製作，是極其罕見地從中世紀留存下來的西洋棋，棋子都是用海象的牙齒或者是鯨魚的牙齒做成的，而且做工非常精緻。

路易斯西洋棋中主教棋的存在，說明挪威即便身處歐洲大陸的最邊緣，基督教還是在當地站穩了腳跟。但同時這套棋子裡，還有著非常能反映維京人本身宗教特色的狂戰士棋子。主教棋和狂戰士棋共存在路易斯西洋棋裡，這背後反映的是個維京文明和歐洲主流文明相互交流和影響。

路易斯西洋棋的走紅，很大一部分是因為棋子的形象如今被做了表情包，尤其是「王后托腮」這個表情，真的非常萌。但是，中世紀的維京人在製作這個棋子時，真正想表達的其實是她在思考，只不過由於中世紀藝術的呆板僵化，才會讓現代的我們覺得她很萌。

19

《神奈川沖浪裏》

為什麼看到它就會想到日本？

The Great Wave off Kanagawa

神奈川沖浪裏

約1830年

非長期展出藏品

日本史上印刷數最多的暢銷浮世繪

　　《神奈川沖浪裏》可以説是日本繪畫的代表作，好多日料店裡都會掛著它的複製品。這幅畫其實是日本浮世繪大師葛飾北齋（1760-1849年）的版畫系列作品《富嶽三十六景》其中的一幅，《富嶽三十六景》描繪的是葛飾北齋從日本36個不同地方遠眺富士山的景象，《神奈川沖浪裏》則是在神奈川這個地方看見的風光。在這幅畫裡，一個巨大的深藍色浪花在海面上高高捲起，畫中最遠處就是富士山。

　　《神奈川沖浪裏》其實是版畫印刷品，在日本的江戶時代賣得非常便宜，在1842年的價格也就是16文，在當時相當於兩碗麵的價錢。但由於這幅畫顏色鮮艷，畫裡的巨浪也相當有氣勢，再加上日本人自古以來對富士山都有一種崇拜心理，所有這些都讓《神奈川沖浪裏》在當時非常暢銷，老百姓會把它買回去裝飾房間。據記載，《神奈川沖浪裏》一共被印刷了近8000幅，是日本歷史上被印刷次數最多的一張浮世繪畫作。

從近8000幅到至今只剩不到10張

　　不過，就是這麼一張當年隨處可見的裝飾畫，留存到今天卻不到10張，而且大都已經被各大博物館收藏，就算花再多的錢也不可能買到了。像大英博物館，就收藏了三張《神奈川沖浪裏》。

　　很多人在看《神奈川沖浪裏》這幅畫時，往往會忽略一個細節，那就是在巨大的海浪裡還隱藏著三條很小的漁船。它們好像馬上就要被海浪吞噬了，船上的人也都在拼命掙扎著，給人一種生死未卜的感覺。

♛ 《神奈川沖浪裏》（*The Great Wave off Kanagawa*）

♟ 約1830年，高25.8公分，寬37.9公分

♞ 非長期展出藏品

這個細節其實很能反映當時日本獨特的時代氛圍，因為葛飾北齋創作這幅《神奈川沖浪裏》時，日本已經閉關鎖國了近200年。政府拒絕外人進入，也禁止國人踏出國境，唯一破例的就是長崎港，在那裡日本政府允許中國和荷蘭的商人進行一些貿易活動。

《神奈川沖浪裏》完成後僅過了24年，日本就被美國的大炮轟開了國門，它被強迫加入了國際社會，畫裡那三條飄搖的小船，和當時日本站在現代世界大門口時徬徨的心態是非常契合的。

日本和西方文明相互融合的作品

雖然《神奈川沖浪裏》是日本浮世繪的代表作，但這幅畫表現的並非典型的日式審美，因為從畫的構圖到材料，都充滿了歐洲元素。

首先，日本繪畫不講究透視，很平面，這大概是受到了中國繪畫的影響，但這幅《神奈川沖浪裏》可是很有透視感的，前景裡，那像爪子一樣的巨浪和後面的富士山就形成了非常好的縱深感。關於這一點，主要是因為葛飾北齋長期研究歐洲繪畫（日本雖然閉關鎖國，但是國外書籍可以流通），對於西方科學的透視法，他比其他日本畫家要精通得多。

其次，《神奈川沖浪裏》的主色調藍色，用的其實是來自歐洲的顏料普魯士藍。前面我就說了日本雖然閉關鎖國，但還是允許中國和荷蘭商人在長崎港做貿易，葛飾北齋用的這種普魯士藍顏料，就是來自荷蘭。

包含大量歐洲元素，成為日本象徵

1853年，日本被美國轟開國門加入國際社會之後，日本繪畫因此走向了歐洲。葛飾北齋的這幅《神奈川沖浪裏》，由於包含了大量的歐洲元素，很快就被西方人接受和喜愛。後來，這幅畫被反覆地印在畫冊、茶杯、布料等小東西上，久而久之，它也就成了日本的象徵之一。

♟ 《神奈川沖浪裏》的主色調藍色是來自歐洲的顏料普魯士藍

《神奈川衝浪裏》：為什麼看到它就會想到日本？

♔ 莫內《乾草堆》系列（*Meules*）
♟ 約1890年

席捲西方藝術界

　　但更奇妙的是，西方的畫家，尤其是法國印象派的大師們也從這幅《神奈川沖浪裏》獲得了巨大的啟發。比如莫內，他就對《富嶽三十六景》特別感興趣，因為葛飾北齋在不同地點、時間和季節表現了同一個主題——富士山。莫內的《乾草堆》系列就是借鑒了這一點，因為他對同一個景物（乾草堆），從不同的時間和季節出發，進行了對光和色彩的捕捉。另外，《神奈川沖浪裏》那鮮艷

♛ 梵谷《星夜》（*The Starry Night*）
🧍 1889年
🏛 紐約現代藝術博物館（Museum of Modern Art, New York）

的色彩，巨浪那銳利的線條，對梵谷的影響也是巨大的。他最著名的作品《星夜》，畫中那旋轉的星空，和《神奈川沖浪裏》中的巨浪就如出一轍（P230）。

　　日本繪畫就是這樣滲透進了歐美藝術，在之後的20世紀也產生了非常大的影響力，而這一切，都是從《神奈川沖浪裏》開始的，它真的是一幅見證日本和西方文明相互影響、融合的作品。我們現在回過頭去看，就會不由得感嘆：葛飾北齋所畫的「那些像爪子般的巨浪」，的確讓日本繪畫席捲了整個西方世界啊！

👑 《神奈川沖浪裏》局部

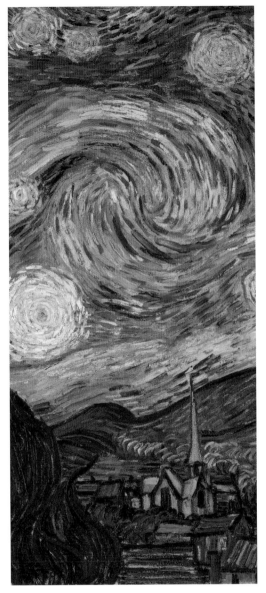

👑 《星夜》局部

《神奈川沖浪裏》是日本浮世繪大師葛飾北齋的版畫系列作品《富嶽三十六景》的其中一幅，《富嶽三十六景》描繪的是從日本36個不同地方遠眺富士山的景象，《神奈川沖浪裏》就是在神奈川這個地方看見的風光。

《神奈川沖浪裏》是日本歷史上被印刷次數最多的一幅浮世繪畫作，江戶時代的老百姓都會把它買回家來裝飾房間，但留存到今天的卻不到10張，而且大都已經被各大博物館收藏，如今就算花再多的錢也不可能買到了。

雖然《神奈川沖浪裏》是日本浮世繪的代表作，但這幅畫體現的並非典型的日式審美，因為從畫的構圖到材料，它都充滿了歐洲元素。但也正是因為這點，日本繪畫走向歐洲後，它是最快被西方人接受的作品，很多印象派大師也從這幅畫中獲得了巨大的啟發。

20

《犀牛》

杜勒畫的「假犀牛」為什麼影響這麼大？

Rhinocerus

犀牛

1515年

非長期展出藏品

spreckelte Schildtkrot. Vnd ist vō dicken Schalen vberlegt fast fest. Vnd ist in der größ als der Helfan
vorn auff der nasen/Das begyndt es albeg zu wetzen wo es bey staynen ist. Das dosig Thier ist des Hel
Im das Thier mit dem kopff zwischen dye fordern payn/vnd reyst den Helffandt vnden am pauch au
m der Helffandt nichts kan thün. Sie sagen auch das der Rhynocerus Schnell/ Fraydig vnd Listig se

1515

RHINOCERVS

犀牛主要分布在非洲和東南亞，在歐洲原本是沒有的。但在古羅馬時期，就曾有一頭犀牛到過歐洲。畢竟古羅馬在當時也是橫跨歐亞非的巨大帝國，把一頭犀牛運到歐洲，也不算是一件太難的事。著名的古羅馬作家普林尼（Pliny）還在他的著作《自然史》（*Natural History*）裡提過這頭犀牛，說牠是大象的死敵。

但古羅馬以後，犀牛就在歐洲銷聲匿跡，牠再一次出現，可是1200年後的事了。而這一次，著名畫家杜勒還將這頭犀牛的模樣畫了下來，而他所畫的這幅《犀牛》也被後人譽為文藝復興時期最有名的畫作之一。

大航海時代來自印度的禮物

杜勒畫的這頭犀牛，是1515年印度蘇丹送給葡萄牙國王的外交禮物。這頭犀牛重近2噸，牠是從印度出發，在海上漂泊了足足四個月後，才到達葡萄牙首都里斯本。

那麼問題來了，印度蘇丹為什麼要送一頭國寶級的動物犀牛給葡萄牙呢？

那是因為當時的葡萄牙已經完全掌控了印度洋的貿易航線，幾乎控制了全世界的香料貿易市場，印度蘇丹自然想要和它搞好關係。

我們現在說起「大航海時代」，一般都是從哥倫布發現美洲大陸開始的，但其實早在哥倫布之前，1488年葡萄牙航海家狄亞士（Bartholmeu Dias）就已經發現了非洲大陸的盡頭「好望角」，大西洋到印度洋的入口就是被他打開的。1497年，另一位葡萄牙航海家達伽馬（Vasco da Gama）奉國王之命，率領三艘全副武裝的商船繞過好望角到達印度，至此印度洋的祕密被完全揭開，從它通往中國、非洲和東南亞的貿易航線也完全被葡萄牙控制。就這樣，葡萄牙這個在歐洲西南角上僅擁有150萬人口的小國家控制了當時全世界的香料貿易。所以印度蘇丹才會將這頭犀牛送給葡萄牙國王，以此來表達自己深深的敬意。

這頭從印度來的犀牛，看上去只是一隻珍貴的動物，但牠背後所象徵的其實是歐洲對新世界的探索，那也是航海家們一次次出去探險的原動力。不得不承認的是，世界的確是從那個時候開始被這些航海家完全改變了。歐洲進入了大航海

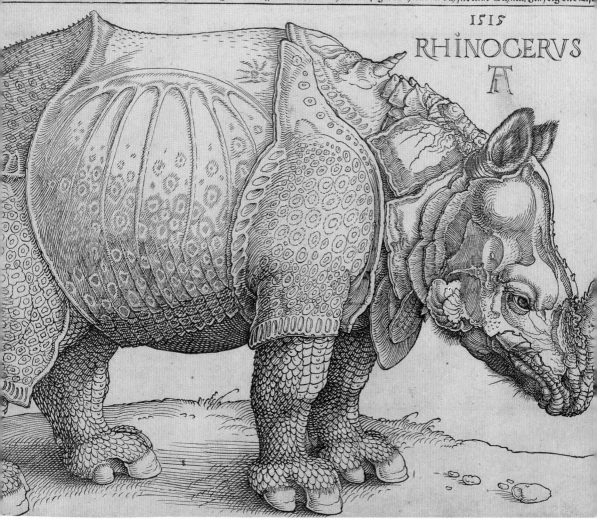

《犀牛》（*Rhinocerus*）

1515年，21.2公分×29.6公分，

木刻版畫非長期展出藏品

時代，東西方文化的交流也翻開了全新的一頁，新的國際政治體系也由此誕生。

　　另外值得一説的是，這頭犀牛到達歐洲的時候正處於文藝復興的盛期，當時的人們都懷著極大的熱情去重新發現古代文化，比如挖掘古希臘和古羅馬的雕像、閲讀古代典籍等。犀牛這種動物又正好被古羅馬的作家普林尼記載過，所以它的出現對當時的歐洲人來説，就是「活生生的生物學上的文藝復興」。

杜勒為什麼要畫犀牛？

　　杜勒是德意志歷史上最偉大的畫家，他不僅僅畫油畫厲害，在水彩、素描和版畫方面也都非常傑出，尤其是他的版畫，對後世的影響是最大的。像這幅《犀牛》就是木刻版畫，它的製作流程基本上是先畫好犀牛的草稿，隨後在木頭上把犀牛的畫面雕刻出來，最後再刷上油墨印刷。

　　木刻版畫其實是很難做到精細化的，因為木頭的質地很軟，在上面刻線條很難做到細緻。但你看這幅《犀牛》，它的線條就非常精細。比方說犀牛大腿上的鱗片，線條都是密密麻麻一層一層勾勒起來的，雖然很密，卻非常清晰。從這個細節裡，你就能看出杜勒的版畫水準，那真的是天才級別的。

　　杜勒除了是一名藝術家，還是一位非常厲害的生意人。他之所以會把這幅《犀牛》做成木刻版畫，其實就是看中了它的商業價值。因為版畫可以大量印刷，隨後售賣賺錢，如果杜勒只是單純喜歡這頭犀牛，那他直接畫成油畫就好了呀。

　　事實上，杜勒的眼光還是非常準的，這幅《犀牛》滿足了當時所有歐洲人的獵奇心，一經推出就爆紅。在杜勒生前，它就賣出了近萬張，讓他賺得盆滿鉢滿。杜勒去世以後，它依然暢銷，完全成了那個時代犀牛的形象代言。

♛ 杜勒（Albrecht Dürer, 1471-1528）

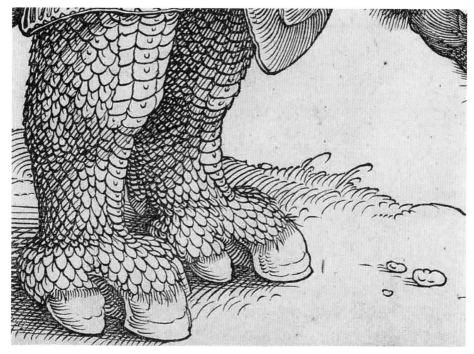

♟ 《犀牛》局部：犀牛腿部的鱗片

這其實是一頭「假犀牛」

　　杜勒在畫這幅畫時，其實並沒有親眼見過這頭犀牛，因為他還沒來得及去，犀牛就死了，所以杜勒完全是憑著大家的描繪和流傳的素描才畫出了這幅《犀牛》。

　　從畫面整體來看，杜勒已經畫得很好了，犀牛的模樣和身體比例都被正確地描繪出來了，但有些地方還是存在很多謬誤。比如犀牛腿上的鱗片，背上的那個小獨角，還有身體上披著的那層盔甲，這些都是印度犀牛所沒有的，只是歐洲人想像出來的。可以這樣說，這幅《犀牛》是西方對東方的探索過程中，伴隨著西方人的獵奇心和想像力，所構建出來的一個物種。

　　但即便如此，在接下來的200多年裡，杜勒創造的這個犀牛形象依然深入人心，所有的歐洲人都以為犀牛就是這副模樣。在德語中，印度犀牛至今仍被稱為「Panzernashorn」，也就是「盔甲犀牛」的意思，這就是受到了杜勒的影響。

♛ 現實中的犀牛

　　在那200多年的時間裡，無數藝術家在雕塑、掛毯和陶瓷中都會模仿杜勒的
這個犀牛形象，動物學家在書裡也會按照這個模型去描繪，他的《犀牛》可以說
是有史以來最有影響力的動物畫。而大家之所以對這幅《犀牛》如此信任，原因
很簡單，因為它是杜勒畫的。杜勒畫作的最大特點就是寫實和逼真，毫不誇張地
說，他就是那個年代的「人肉照相機」，還是有最高清像素的那種。

　　不信我們可以去看一下右方他的名作《野兔》，畫裡的這隻兔子真的是被杜勒
描繪得栩栩如生，就連身上的毛髮，你都能看得一清二楚。由此可見杜勒的畫風是
非常寫實的，對解剖學也有著很高的造詣，難怪他會被後人稱為德國的達文西。

　　這幅《野兔》，我覺得最精彩的地方還是在於牠的神態描繪，你能感受得到
牠是處於一個很防備的狀態，假如你稍微接近牠一下，牠應該就會立刻逃跑了。

　　不光是野兔，杜勒對其他很多動物也很感興趣。在他留存下來的作品中，後
人發現了他對近700種動物的描繪，每一幅都像《野兔》那樣逼真寫實。這樣一
位畫家所畫的《犀牛》，又怎麼可能會有人去懷疑真實性呢？

　　1758年，另一頭犀牛克拉拉（Clara）到達了歐洲，並且進行大規模的巡
展，從這時候起，杜勒創造的犀牛的形象才算被真正地顛覆了，大家也終於瞭解
到真正的犀牛是長什麼樣的。但我覺得，恰恰是因為有了這一段長達200多年的
誤會，才讓杜勒的這幅《犀牛》變得那麼有價值，因為它凸顯出一位傑出的畫家
在世人面前的公信力。

👑 掛毯裡所引用的杜勒犀牛的形象
🧍 1550年

👑 《野兔》（*Feldhase*）
🧍 1502年
🏛 維也納阿爾貝蒂娜博物館（Albertina, Wien）

《犀牛》：杜勒畫的「假犀牛」為什麼影響這麼大？

👑 《大片草地》（*Das große Rasenstück*）

🐦 杜勒作於1503年

🐴 維也納阿爾貝蒂娜博物館（Albertina, Wien）

程老師敲黑板

- - - - - - - -

🔍 　　杜勒的《犀牛》是文藝復興時期最著名的畫作之一。畫裡所描繪的這頭犀牛，是1515年印度蘇丹送給葡萄牙國王的外交禮物，因為當時的葡萄牙幾乎完全掌控印度洋的貿易航線，控制了全世界的香料貿易市場。

🔍 　　杜勒將這幅《犀牛》特意做成木刻版畫，因為他看中的是這幅畫的商業價值。犀牛這種動物，主要分布在非洲和東南亞，在歐洲是沒有的。因此，所有歐洲人都對這種動物充滿好奇心。這幅《犀牛》版畫一經推出就爆紅，杜勒生前就賣出近萬張，讓他賺得盆滿缽滿。

🔍 　　杜勒的這幅《犀牛》，有很多錯誤的地方，因為他並沒有親眼見到這頭犀牛，他是完全憑著大家的描繪和流傳的素描才畫出了牠。但即便如此，在接下來的200多年裡，杜勒創造的這個犀牛形象依然深入人心，所有的歐洲人都以為犀牛就是這副模樣。那是因為杜勒的畫作一向以寫實逼真出名，所以沒有人會去懷疑這幅畫內容的真假。

21

摩索拉斯陵墓

世界古代七大奇蹟之一的建築，是如何消失的？

Mausoleum at Halicarnassus

摩索拉斯陵墓

約西元前350年

主層大廳樓21號展間

👑 摩索拉斯陵墓復原圖（Mausoleum at Halicarnassus）

🏛 約西元前350年

14層樓高的古代七大建築奇蹟

　　世界古代七大奇蹟之一的摩索拉斯陵墓，是西元前4世紀波斯王朝的地方總督摩索拉斯（Mausolus）為自己建造的陵墓，它位於當時小亞細亞的哈利卡那索斯（Halicarnassus），也就是今天土耳其西南方的城市波德倫（Bodrum）。

♛ 摩索拉斯雕像（Statue of Mausolus）
♟ 主層大廳樓21號展間（Groud floor, Level 0, Room 21）

摩索拉斯陵墓的規模巨大，高度就有45公尺，相當於如今14層樓那麼高。整座陵墓都被華麗的彩色雕塑和浮雕裝飾著，而且都是由古希臘最著名的雕塑家們親自操刀完成，所以這座陵墓在當時就被認為是可以和金字塔相媲美的建築，就連超級擅長建築的古羅馬人都對它讚不絕口，摩索拉斯陵墓也被後人譽為世界古代七大建築奇蹟之一。現在英文單字中的「mausoleum」（陵墓），就是摩索拉斯陵墓的意思。

　　摩索拉斯陵墓在世界建築史上也是一座極有地位的建築：它的底部有著非常高的矩形石台，石台上方是一個由36根愛奧尼亞柱子所組成的巨型柱廊。在陵墓的最上方，則是一個金字塔形的建築，在金字塔的最頂端，還矗立著一座近6公尺高的駟馬戰車雕像，而駕馭著這輛戰車的就是摩索拉斯夫婦。

《摩索拉斯陵墓》：世界古代七大奇蹟之一的建築，是如何消失的？

♛ 摩索拉斯陵墓復原模型

　　摩索拉斯陵墓之所以在世界建築史上如此重要，是因為從古到今很多具有紀念性的建築，尤其是陵墓，採用的都是這種在高大矩形石台上再建立柱廊的形式。直到今天，很多現代建築仍然喜歡採用這種形式，最典型的就是位於美國華盛頓的聖殿堂。

　　另外，還有很多現代大廈的屋頂部分也會採用這種結構形式，由此可見，摩索拉斯陵墓對後代建築的影響有多深。

　　摩索拉斯陵墓的建築結構形式，如果要追溯它的根源，很有可能是居魯士大帝的陵墓了，因為從外觀上來看，居魯士大帝的陵墓像極了一座簡化版的摩索拉斯陵墓。要知道居魯士可是波斯帝國的開國大帝，而摩索拉斯作為後來波斯王朝的一位地方總督，是很有可能以這種效仿居魯士大帝陵墓的方式，來向這位偉大的先人致敬。

♛ 華盛頓聖殿堂
（House of the Temple, Washington D.C.）

♛ 辛辛那提聯合中央大廈
（Union Central Tower, Cincinnati）

♜ 高樓頂部採取的就是摩索拉斯陵墓的建築結構形式

♛ 居魯士大帝陵墓（Tomb of Cyrus）

♙ 西元前6世紀

♞ 伊朗帕薩加德（Pasargadae, Iran）

《摩索拉斯陵墓》：世界古代七大奇蹟之一的建築，是如何消失的？

♛ 摩索拉斯夫婦雕像

♞ 主層大廳樓21號展間（Groud floor, Level 0, Room 21）

一個波斯人的陵墓，為什麼充滿了古希臘元素？

　　摩索拉斯陵墓的建築形式並非是希臘式的，但它上面所有的裝飾浮雕和雕塑可都是完完全全的希臘風。不信你去看摩索拉斯夫婦的雕像，他們身上穿的都是古希臘式的長袍，沒人告訴你的話，你根本看不出他們是波斯人。

🔸 貝爾維德爾的阿波羅（Apollo del Belvedere），
古羅馬時期複製品
🔸 梵蒂岡博物館（Musei Vaticani）

摩索拉斯陵墓之所以會有那麼濃厚的希臘風，這主要是因為在波斯人到來之前，哈利卡那索斯所在的那塊小亞細亞區域，大部分都是希臘人的殖民地，所以古希臘文明早已在那裡扎了根。另外，摩索拉斯本人對於古希臘文明非常熱愛，不然他也不會邀請當時最知名的古希臘建築師和雕塑家來為他建造這座陵墓了。在被摩索拉斯邀請來的那些大咖裡，就有大名鼎鼎的萊奧卡雷斯（Leochares），著名雕塑《貝爾維德爾的阿波羅》就是他的傑作。

摩索拉斯陵墓上的浮雕，有一小部分還保存到了今天，它們和摩索拉斯夫婦的雕像一起，被大英博物館收藏。

這些浮雕主要表現的是古希臘神話中希臘人與亞馬遜女戰士之間的戰爭，這一點真的超有趣，你想啊，摩索拉斯可是一個波斯人，但他的陵墓裝飾浮雕居然用的是古希臘神話題材，僅憑這一點就能想像得到他有多鍾情於古希臘文化，而波斯帝國的文化包容程度，也可見一斑。

另外，這批浮雕也雕刻得相當優美，不愧是出自名家之手。浮雕中的每一個人物都充滿了動感和張力，衣袍也非常飄逸，一點都不會讓人感受到大理石的沉重感。摩索拉斯陵墓上的這批浮雕，和巴特農神殿上的浮雕絕對是屬於同一個重量級別的。

摩索拉斯陵墓，是如何消失的？

摩索拉斯陵墓的建築結構其實是很穩固的，這主要是因為它有一個既高又堅固的巨型石台。在歷史上，它雖然經歷過很多次地震，造成了不少損傷，但基本形體都還在。

但如果你現在跑去土耳其的波德倫，去參觀摩索拉斯陵墓的遺址，能看見的就是一片廢墟，根本無法想像這裡原來是一座巨大的建築，如今它反而更像是個採石場。摩索拉斯陵墓這座古代七大奇蹟之一的建築，就這樣完完全全地消失了。

👑 駟馬戰車其中的一匹戰馬像
🐎 主層大廳樓21號展間（Groud floor, Level 0, Room 21）

事實上，摩索拉斯陵墓在歷史上足足存在了1800多年，它是到15世紀的時候才被徹底摧毀。因為當時騎士團來到波德倫，為了能抵抗鄂圖曼帝國的大軍，他們便拆了陵墓，用它的石材在海邊的港口修建起一座防禦性的城堡，也就是今天人們所能看見的波德倫城堡。

♕ 陵墓浮雕《希臘人與亞馬遜女戰士的鬥爭》（*Amazonomachy*）

♞ 主層大廳樓21號展間（Groud floor, Level 0, Room 21）

♕ 摩索拉斯陵墓遺址

♞ 土耳其波德倫（Bodrum）

　　　　　　　　　　　《摩索拉斯陵墓》：世界古代七大奇蹟之一的建築，是如何消失的？

👑 波德倫城堡（Bodrum Kalesi）

　　在拆除摩索拉斯陵墓時，他們發現了很多古希臘雕塑和浮雕，由於它們無法被用作建築材料，便被保留了下來。19世紀的時候，英國人經土耳其政府同意，買下了這批石雕，隨後大央博物館的相關人員又來了一次波德倫，重新挖掘陵墓遺蹟，又出土了一批新的石雕。這兩批石雕最終在大英博物館會合，並且都被存放在21號展廳中，這才構成大家現在所看見的摩索拉斯陵墓的收藏展廳。

　　在新冠肺炎疫情爆發之前，我曾經去了一次土耳其的波德倫，特意探訪摩索拉斯陵墓的遺址以及位於它旁邊的波德倫城堡，那一路的參觀，讓我感觸頗深。

　　因為我有種感覺，摩索拉斯陵墓好像並沒有消失，它只是換了一種存在的方式，變成一座中世紀的城堡。就如同我的一位好友經常說的那樣：古老的文明或許會消失，但它們從來都不會真正地死去，它只是換了一種方式，融合進後來的文明中。

　　其實反觀中國的歷史，有時也是這樣的，比方說「三星堆」或者「西夏文明」，它們或許從來沒有真正消失過，只是換了一種方式融合進今天的文明血液中，它們是融合得那麼徹底，以至於我們自己都察覺不到。

程老師敲黑板

—·——·——·—

　　摩索拉斯陵墓是西元前4世紀波斯王朝的地方總督摩索拉斯為自己建造的陵墓，陵墓遺址位於今天土耳其波德倫，這座陵墓憑藉巨大的規模以及其華麗的裝飾，被後人譽為世界古代建築七大奇蹟之一。

　　摩索拉斯陵墓是一座非常能反映希臘藝術原貌的建築，墓主人摩索拉斯身上穿的就是希臘式長袍，陵墓底座的浮雕表現的內容也是古希臘神話。這主要是因為摩索拉斯本人對於古希臘文明非常熱衷，同時波斯帝國對外來文化的包容程度也非常高。

　　摩索拉斯陵墓在歷史上足足存在了1800多年，它是到15世紀的時候才被徹底摧毀。當時騎士團來到了波德倫，為了抵抗鄂圖曼帝國的大軍，他們便拆了陵墓，用它的石材在海邊的港口修建起一座城堡，也就是今天的波德倫城堡。在拆除摩索拉斯陵墓的時候，他們還發現了很多古希臘雕塑和浮雕，而它們如今都被收藏在大英博物館中。

圖片資訊

* 本書中的配圖除了以上圖片及個別公版畫作，其他
圖片均由作者程珺實地拍攝

大英博物館給世界的藝術課

作　　者　程珺
封面設計　日央設計
內頁構成　詹淑娟
文字編輯　溫智儀
校　　對　柯欣妤
企劃編輯　葛雅茜
業務發行　王綬晨、邱紹溢、劉文雅
行銷企劃　蔡佳妘
主　　編　柯欣妤
副總編輯　詹雅蘭
總 編 輯　葛雅茜
發 行 人　蘇拾平

出　　版　原點出版 Uni-Books
　　　　　Facebook: Uni-Books 原點出版
　　　　　Email: uni-books@andbooks.com.tw
　　　　　新北市 231030 新店區北新路三段 207-3 號 5 樓
　　　　　電話：（02）8913-1005　傳真：（02）8913-1056

發　　行　大雁出版基地
　　　　　新北市 231030 新店區北新路三段 207-3 號 5 樓
　　　　　24 小時傳真服務（02）8913-1056
　　　　　讀者服務信箱 Email: andbooks@andbooks.com.tw
　　　　　劃撥帳號：19983379
　　　　　戶名：大雁文化事業股份有限公司

初版一刷　2022 年 4 月
初版三刷　2024 年 1 月

定　　價　450 元

ISBN　　978-626-7084-19-9（平裝）
ISBN　　978-626-7084-21-2（EPUB）

國家圖書館出版品預行編目（CIP）資料

大英博物館給世界的藝術課 / 程珺著 . -- 初版 . -- 新
北市：原點出版：大雁文化事業股份有限公司發行，
2022.04
256 面；　17×23 公分
ISBN 978-626-7084-19-9(平裝)

1. 大英博物館 2. 蒐藏品 3. 藝術欣賞

069.841　　　　　　　　　　　　　111005276

圖書許可發行核准字號：文化部部版臺陸字第 111035 號
出版說明：本書係由簡體版圖書《大英博物館尋寶記》以正體字在
臺灣重製發行，期能藉引進華文好書以饗臺灣讀者。

原著作名：《大英博物館尋寶記》
作者：程珺
本書由廈門外圖凌零圖書策畫有限公司代理，經上海風炫文化傳媒股份有限公司授權，同意由原點出版，出版中文繁體字
版本。非經書面同意，不得以任何形式任意改編、轉載。